JULIO VERNE

20.000 LEGUAS DE VIAJE SUBMARINO

11/90
5.00

3ª edición
Noviembre 1989

© Ediciones Dalmau Socías
© Editors, S. A.
San Andrés, 505
Tel. (93) 346 06 12
08030 - BARCELONA

Depósito Legal: B. 30.088-89
ISBN: 84-7561-232-6

Impreso en España por:
I. G. Credograf, S.A.
Llobregat, 36
Ripollet (Barcelona)

Printed in Spain

I

UN ESCOLLO FUGAZ

Corría el año 1866 cuando una noticia de prensa indujo a los más extraños comentarios entre los hombres de mar. Capitanes de barco, armadores, oficiales de marina, comerciantes y aun el público en general, comentaban aquel inexplicable y extraño caso.

Muchos barcos, desde hacía algún tiempo, habían encontrado en su camino "una cosa enorme", larga, en forma de pez, fosforescente, más grande y rápida que una ballena.

Todas las descripciones coincidían en cuanto a la forma, la velocidad, las dimensiones, la potencia de sus movimientos y la vida de que parecía estar dotada. Algunos capitanes de barco aventuraban que tal vez se tratase de una ballena o animal similar; pero esto era difícil de admitir, puesto que la Ciencia no tenía hasta entonces ninguna especie registrada con las características descritas.

De acuerdo con la mayoría de las opiniones, el monstruo mediría unos sesenta metros, aunque algunos le daban una mayor longitud.

Este asunto se comentó por un tiempo bastante largo, aunque tal vez se hubiese ido olvidando de no haber más apariciones. Pero no fue así. El vapor *Governor Higginson* que hacía la travesía de Calcuta a Burnach, avistó un objeto flotante a cinco millas de distancia al este de Australia. El capitán del barco, en un principio pensó que se trataba de algún islote desconocido y trató de fijar su posición, pero con gran asombro vio elevarse dos columnas de agua saliendo del objeto desconocido, a gran altura. El capitán tuvo, pues, que reconocer que no se trataba de un escollo, sino de un monstruo marino desconocido.

El barco *Cristóbal Colón*, de la Compañía de Vapores de la India Occidental y Pacífico, avistó también el mismo fenómeno en las aguas del océano Pacífico, sólo tres días después. De estos dos encuentros se extrajo la conclusión de que el animal se desplazaba a una velocidad sorprendente, pues en tres días se había trasladado de un extremo del mundo al otro.

Continuaron llegando más noticias. El extraño objeto seguía siendo el tema principal de toda conversación; cada día se registraban nuevos hechos. El trasatlántico *Pereira* aportó nuevos datos; los oficiales de la fragata *Normandie* firmaron una declaración conjunta dando los mínimos detalles del objeto que habían visto.

Aquel fenómeno ya era tomado en serio. Algunos países todavía se permitían tomar a la ligera aquel asunto, pero otras naciones más serias y prácticas estaban ciertamente interesadas por aquellos rumores, por ejemplo, Inglaterra, Alemania y América del Norte.

Los periódicos hicieron suyo el tema y no había día que no publicaran alguna historia de seres gigantescos, desde la ballena blanca Moby Dick hasta Kraken, el pulpo gigante que podía abrazar a un barco de 500 toneladas y precipitarlo al fondo de los mares.

Como siempre, la Prensa suscitó la polémica. Pronto hubo dos bandos: unos, defensores de la existencia del monstruo y otros que no lo creían.

Durante seis meses la imaginación de la gente se inclinó por los artículos de fondo publicados por el Instituto Geográfico del Brasil, de la Real Academia de Ciencias de Berlín y de la Asociación Británica. A esos comentarios, serios y profundos, no siempre de acuerdo, se sumaban otros más humorísticos.

De haber seguido así las cosas, el tema se hubiera agotado, pero otros sucesos, de mayor preocupación, vinieron a impulsar la situación. Ya no se trataba de un asunto científico, sino de un estado de amenaza.

El *Moravian*, barco de la Compañía Oceánica de Montreal, chocó con un islote que no estaba registrado en las cartas de navegación. De no haber sido por el grosor de su casco, el Moravian se hubiese precipitado con sus doscientos treinta pasajeros en los abismos del mar. El accidente ocurrió al amanecer. Cuando los oficiales trataron de investigar cuál había sido la causa del choque, nada pudieron ver. El barco siguió ruta y nunca se supo contra qué había chocado.

Por si esto fuera poco, un nuevo y misterioso accidente vino a sumarse a los anteriores. Este le ocurrió al *Scotia*. El 13 de abril de 1867, con mar en calma y brisa moderada, este barco recibió un impacto en el casco, en la banda y un poco a popa de la rueda de babor.

Los pasajeros, que en ese momento estaban cenando, no lo hubieran advertido si no hubiese sido por un marinero que gritó: "¡Naufragio! ¡El barco se hunde!" El capitán precisó de toda su energía para dominar el pánico de los pasajeros. Les hizo comprender que no corrían peligro inmediato, que había mucho tiempo para llegar a puerto seguro, pues el casco del barco estaba dividido en siete compartimientos estancos, y aunque uno se llenase, de seguro podría resistir a flote.

El capitán ordenó una inspección del casco y poco después se encontró la avería en el quinto compartimiento. Era una brecha de casi dos metros de anchura. Los daños eran más considerables de lo que el capitán había supuesto en un principio. Se dirigieron a Liverpool, a cuyo puerto llegaron tres días después de una penosa travesía.

Una vez en dique seco el *Scotia*, se procedió al reconocimiento del casco. Los ingenieros apenas podían dar crédito a lo que contemplaban. A dos metros y medio de la línea de flotación, se apreciaba una brecha en forma

de triángulo. La rotura del casco era tan perfecta que no
existía taladro conocido capaz de realizar un agujero de
líneas tan regulares. Los ingenieros estimaron que había
sido hecha por un perforador de gran precisión impelido
por una fuerza capaz de traspasar la plancha del casco,
que era de cuatro centímetros, que luego, por un movimiento de retroceso inexplicable, había dado marcha
atrás.

II

EL PRO Y EL CONTRA

Cuando volví a Nueva York —explica el profesor Aronnax—, procedente de Nebraska, donde, en calidad de profesor suplente del Museo de Historia Natural de París, había estado en una expedición científica como agregado del Gobierno francés, decidí regresar a Francia en los primeros días de mayo. Mientras esperaba me dediqué a ordenar las muestras que había recogido en el viaje, en especial botánicos y zoológicos y elementos minerales; cuando trabajaba en esto, el misterio del accidente del *Scotia* estaba en su punto álgido.

Leí toda la prensa para ponerme al corriente de todos los aspectos del asunto. La hipótesis de que el misterio era una isla flotante había sido descartada del todo. Sólo quedaban dos teorías posibles para explicarlo: primero, que se trataba de un barco submarino de una potencia desconocida y, segundo, que era un animal monstruoso de una fuerza nunca vista. La primera teoría no podía ser aceptada, pues era difícil imaginar que un particular tuviese la capacidad suficiente para construir semejante artefacto, sin que su secreto no hubiese sido revelado. Sólo cabía pensar que era una nación la autora, pero esto fue descartado cuando todos los países negaron ser dueños de un barco submarino. El monstruo volvió a ponerse de moda, a pesar de las burlas de que era objeto por parte de la prensa humorística.

Tan pronto llegué a Nueva York muchas personas me consultaron acerca del caso. Debe tenerse presente que yo había publicado una obra titulada *Misterios de las profundidades submarinas*, y por ello se me consideraba un experto en la materia. Todos pedían, pues, mi opinión al respecto. El *New York Herald* me pidió un artículo. He aquí un extracto del mismo:

No cabe duda de que tras haber abandonado otras suposiciones, hay que admitir la existencia de un animal marino de gran potencia.

Si hemos de aceptar la existencia de un animal marino, perteneciente a una especie conocida, me inclino por el narval gigante.

El corriente alcanza, a veces, la longitud de dieciocho metros. Con cinco o diez veces más esta dimensión, y con una fuerza proporcional a su tamaño, obtendremos un animal con las proporciones determinadas por los oficiales del Shannon.

El narval está armado de una especie de espada de marfil. Supongamos esta arma diez veces más poderosa y el monstruo diez veces más potente que el normal. Lanzad al animal a una velocidad de veinte millas por hora y multiplicad el volumen por el cuadrado de la velocidad. Con todo ello se produciría un choque bastante para producir una catástrofe.

De esta manera se explicaría todo lo ocurrido, a no que haya sido una ilusión... que también podría ser...

Con este último párrafo quería, en cierto modo, dejar a salvo mi reputación profesional.

Este artículo fue muy discutido y comentado, lo cual me valió cierta celebridad.

Y así como unos leyeron el artículo desde un punto de vista puramente científico, otros lo enfocaron bajo un aspecto materialista, y creyeron en la necesidad de limpiar el océano de tan molesto enemigo. Había que perseguir al monstruo y exterminarlo. Los primeros en organizar una expedición fueron los Estados Unidos. En Nueva York se hicieron en seguida preparativos, y al cabo de poco una fragata con espolón, la *Abraham Lincoln*, se hallaba dispuesta a hacerse a la mar. Pero ocurrió que durante todo aquel tiempo el monstruo no dio señales de vida. Nadie oyó hablar de él durante dos meses.

La fragata mandada por el comandante Ferragut no sabía, pues, adónde dirigirse. La impaciencia iba en aumento ante aquella forzosa inactividad; y por fin, el 2 de julio se supo que el *Tampico*, un vapor de línea de San Francisco a Shanghai, había vuelto a ver el animal, hacía unas tres semanas, en las aguas del norte del Pacífico.

La noticia produjo gran emoción. El comandante Ferragut recibió la orden de partir en seguida. Todo estaba preparado: suficientes víveres y carbón, y los tripulantes en sus puestos. El comandante no tenía más que dar la orden de encender las calderas, dar presión y largar amarras. El comandante Ferragut que estaba deseando partir, dio la orden.

Tres horas antes recibí una carta concebida en los siguientes términos:

Señor don Pedro Aronnax, profesor del Museo de París.

Muy señor mío: Si no tiene usted inconveniente puede unirse a la expedición de la fragata Abraham Lincoln. *El Gobierno de Estados Unidos vería con satisfacción que Francia se encontrase representada por tan distinguido y erudito hombre de ciencia. El comandante Ferragut ha recibido instrucciones al respecto y tiene preparado un camarote para usted.*

Le saluda cordialmente su afectísimo,

J. B. Hobson
Ministro de Marina.

III

COMO EL SEÑOR GUSTE

La carta acabada de recibir aclaró mis dudas. Había estado muy indeciso entre hacer un viaje al Canadá o emprender la cacería del monstruo que tanto inquietaba a la humanidad. Pero el contenido de la carta me convenció de que mi verdadera misión era dar caza al inquietante animal.

— ¡Consejo! —grité en tono impaciente.

Consejo era mi criado, un agradable muchacho a quien profesaba gran cariño; de buena presencia, era muy servicial y me acompañaba a todas partes. Consejo era un ser flemático por temperamento, metódico por principio, esmerado por hábito, poco impresionable, muy apto para todo y, a pesar de su nombre, poco aficionado a mediar en asuntos ajenos.

Desde hacía diez años no se había separado de mí. Jamás objetó acerca de lo prolongado o fatigoso de un viaje; jamás opuso el menor reparo en hacer el equipaje para cualquier parte, lo mismo si se trataba de la China o del Congo. Todo lo aceptaba sin preguntar. Además, gozaba de una salud a prueba de enfermedades; tenía una recia musculatura y una carencia total de nerviosismo.

Había cumplido los treinta años, y su edad y la mía estaban en una proporción de quince a veinte, lo que es una manera de decir que yo contaba cuarenta años.

De todos modos, nadie es perfecto y Consejo tenía un defecto: siempre me hablaba en tercera persona y esto a veces llegaba a exasperarme.

— ¡Consejo! —llamé otra vez, empezando con mano febril los preparativos de marcha.

—¿Me llama el señor? —preguntó al entrar.

—Sí, muchacho. Hemos de prepararnos. Salimos dentro de dos horas. Conviene darse prisa. Guarda en mi maleta mis efectos de viaje, ropa blanca y de vestir y calcetines. ¿Entendido? Pero ¡de prisa!

Un cuarto de hora después el equipaje ya estaba preparado. Consejo hizo las maletas en un abrir y cerrar de ojos, y yo tenía la seguridad de que nada faltaba, pues el muchacho era muy diligente.

El ascensor del hotel nos llevó al vestíbulo. Pagué la cuenta, di orden de que expidieran a París mis fardos de animales disecados y de plantas secas y pocos minutos después llegamos al muelle, junto al cual se hallaba la fragata *Abraham Lincoln* vomitando humo negro por sus dos chimeneas.

Nuestro equipaje fue subido inmediatamente a bordo. Uno de los marineros me condujo a la toldilla, y allí encontré a un oficial de buen aspecto, que me tendió la mano.

—¿Es usted el señor Pedro Aronnax? —me preguntó.

—Así es —contesté—. ¿El comandante Farragut?

—A sus órdenes, profesor. Bien venido a bordo. Su camarote ya está dispuesto.

Saludé al comandante y éste, a su vez, ordenó a un marinero me llevara al camarote que me habían destinado.

La fragata *Abraham Lincoln* había sido perfectamente escogida para su destino. Era un barco muy rápido y provisto de toda clase de aparatos que permitían elevar a siete atmósferas la presión de las calderas. La instalación interior era perfecta. Quedé muy satisfecho de mi camarote, situado hacia popa, y muy cerca de la cámara de los oficiales.

—Creo que vamos a encontrarnos a gusto —dije a mi criado.

—Sí, señor. Como gorriones en nido de águilas.

Dejé a Consejo ocupado en deshacer nuestro equipaje, y subí al puente a observar los preparativos de marcha.

En aquel momento el comandante Farragut hacía soltar las últimas amarras que retenían la fragata al muelle de Brooklyn. Quince minutos de retraso habrían bastado para que hubieran partido sin mí.

—¿Hay bastante presión? —preguntó el comandante.

—Sí, señor. Todo listo —contestó el maquinista.

—Pues, ¡avante! —ordenó Farragut.

Al recibir aquella orden, ordenada a la máquina por medio de aparatos de aire comprimido, los marineros hicieron funcionar la rueda de puesta en marcha. Silbó el vapor al precipitarse en los cilindros; los largos émbolos horizontales gimieron y empujaron las bielas del árbol, las palas de la hélice batieron las aguas con creciente rapidez, y la *Abraham Lincoln* avanzó majestuosa entre un centenar de lanchas y vaporcitos.

La fragata siguió el lado de Nueva Jersey, pasó por entre los fuertes que la saludaron con sus cañones de gran calibre. La *Abraham Lincoln* contestó el saludo izando y arriando tres veces el pabellón norteamericano, cuyas estrellas resplandecían en el tope de mesana. Luego modificó su rumbo y tomó el canal balizado, formado por la punta del Sandy Hook.

El cortejo de vaporcitos y lanchas siguió escoltando a la fragata y no la abandonó hasta la altura del faro, cuyas dos luces marcan la entrada de los pasos de Nueva York.

Eran entonces las tres. El práctico saltó a su bote y embarcó en la pequeña goleta que le esperaba a sotavento. Se avivaron los hornos; la hélice batió las olas con más fuerza; la fragata bordeó Long Island; y a las ocho de la noche, después de haber dejado atrás los faros de Fire Island, corrió a todo vapor sobre las oscuras aguas del Atlántico.

IV

NED LAND

El comandante Farragut era un excelente marino, digno de la fragata que mandaba. Su navío y él hacían un todo, del cual él era el alma. Por lo que respecta a la ballena, no abrigaba en su ánimo la menor duda y no permitía que a bordo fuese siquiera discutida su existencia. Creía en el monstruo y se hallaba dispuesto a librar a los mares de su presencia.

Los oficiales del barco compartían su opinión. En sus conversaciones no hablaban de otra cosa.

En cuanto a la tripulación, no deseaba otra cosa que dar con el monstruo, izarlo a bordo y repartirse tan deseado botín. Por otra parte, era muy estimulante la cantidad de dos mil dólares que el capitán Farragut había ofrecido como recompensa al que primero avistara al animal.

Por mi parte, a nadie cedí mis observaciones diarias. Entre todos, el único que no participaba de la preocupación general era Consejo, siempre dispuesto a servirme lo mejor posible.

Para la caza de la ballena, un ballenero no estaría mejor armado que la *Abraham Lincoln*. Poseía todos los elementos conocidos, desde el arpón de mano hasta las flechas dentadas, los trabucos cargados de metralla y las balas explosivas de las escopetas de gran calibre. En el castillo de proa había un cañón perfeccionado, que se cargaba por la culata, de paredes muy gruesas y de ánima muy estrecha.

También contaba con Ned Land, el rey de los arponeros.

Ned Land era del Canadá y poseía una destreza extraordinaria, que no tenía rival en su profesión. Era hábil y frío, audaz y astuto, y muy maligna había de ser una ballena o un cachalote para eludir su arponazo.

El arponero tendría unos cuarenta años; era muy alto y de vigorosa complexión. De aspecto grave, poco comunicativo, a veces era violento y exaltado si se le contrariaba. Su persona llamaba la atención y la firmeza de su mirada acentuaba singularmente su fisonomía.

El comandante Farragut había sabido escoger. Ned Land valía por toda la tripulación en cuanto a su habilidad y fuerza con el arpón.

¿Qué opinaba Ned del monstruo? Parecía no mostrarse muy conforme con el unicornio, y en esto discrepaba del parecer general de la tripulación.

El arponero evitaba tratar de cuanto se relacionase con el animal. Un día le dije:

—¿Cómo es posible, Ned, que no esté convencido de la existencia del cetáceo? ¿Acaso tiene motivos para dudar?

El arponero me miró unos momentos antes de contestar. Por fin dijo:

—Quizá sí, señor Aronnax.

—Pero usted —le argumenté—, amigo Ned, que es un ballenero profesional, no tendría que dudar de la existencia de esos mamíferos marinos.

—En eso se equivoca, profesor —replicó Ned—. La gente puede creer en cometas o en monstruos antediluvianos, pero los hombres de ciencia no pueden admitir tales engaños. Lo mismo ocurre con nosotros. Yo he perseguido durante mi vida a muchos cetáceos, pero debo decirle que, por muy poderosos y bien armados que estén, ni sus colas ni sus defensas habrían podido romper la coraza de un buque como han pretendido hacernos creer.

—Sin embargo, existen embarcaciones atravesadas de parte a parte por el diente de un narval.

—Serían de madera —replicó Ned—, aunque ni de eso

estoy seguro. Por tanto, salvo que me demuestren lo contrario, niego que las ballenas, unicornios, cachalotes u otros animales puedan producir semejantes destrozos.

—Convendrá usted —le dije— que si ese animal existe, si se halla en capas líquidas, situadas a varias millas bajo la superficie del agua, necesariamente ha de tener una fuerza superior a toda comparación.

—¿Y por qué habría de ser así? —inquirió Ned.

—No lo dude, amigo. Porque necesita una resistencia incalculable para poder mantenerse en las capas profundas y soportar la enorme presión.

—Podría ser... —y Ned no se atrevió a terminar la frase.

—Continúe, amigo. ¿Podría ser qué?

—Pues que todo fuera mentira.

Pero esta respuesta no probaba otra cosa que la testarudez de Ned Land, que no quería darse por vencido. En cuanto a mí, el accidente que sufrió el *Scotia* era la prueba más concluyente de la existencia del monstruo. No insistí más y respeté la opinión de mi amigo. Además, ¿cómo convencerle de su error? A mi entender el animal que provocó la catástrofe en el *Scotia* pertenecía a la rama de los vertebrados, a la clase de los mamíferos, al grupo de los pisciformes y al orden de los cetáceos.

V

A LA AVENTURA

La fragata bordeó la costa sudeste de América sin mayores incidentes. En una ocasión tuve la oportunidad de apreciar la habilidad de Ned Land. El capitán de un ballenero americano pidió su concurso para dar caza a una ballena que estaba a la vista. Deseoso de ver operar al canadiense, el capitán Farragut le autorizó para que se trasladase a bordo de aquella embarcación. Ned, en aquella ocasión, en lugar de arponear una ballena, arponeó a dos de un solo golpe. Una de ellas fue muerta en el acto y la otra capturada después de unos minutos de persecución. Ciertamente, si el monstruo marino se ponía al alcance de Ned Land, lo iba a pasar muy mal.

El 6 de agosto estábamos atravesando el estrecho de Magallanes a la altura del cabo de las Vírgenes. El capitán Farragut dio orden de doblar por el cabo de Hornos.

Aquel mismo día, hacia las tres de la tarde, la fragata doblaba un islote solitario, una roca perdida en lo más extremo del continente americano. Hizo luego rumbo al Nordeste y a la mañana siguiente la hélice batía al fin las aguas del Pacífico.

—¡Ojo, mucho cuidado! ¡Afinad la vista! —repetían sin cesar los marineros.

Toda la tripulación rivalizaba en otear el horizonte para descubrir la presencia del monstruo, pues el incentivo de los dos mil dólares no era desdeñable.

Yo, a pesar de que no me importaba el dinero, estaba también atento a la presencia del monstruo. No abandoné

la cubierta del barco, excepto para comer y unas horas
para descansar. Apoyado en las amuras del alcázar de proa
y luego en la baranda de popa, contemplaba con ansiedad
la brillante estela que blanqueaba el mar. Compartí la emoción con los tripulantes de la fragata al divisar alguna caprichosa ballena, creyendo que podía ser el animal que bus-
cábamos. La cubierta del *Abraham Lincoln* se poblaba de
gente que seguía al cetáceo con emoción y después con
desilusión al comprobar que no se trataba de nuestro enemigo. Yo miraba y remiraba hasta cansar mis ojos en tanto
que Consejo me decía con voz tranquila:

—Si el señor entornara un poco los párpados, vería mucho mejor.

En cuanto a Ned Land, continuaba en su terquedad.
No creía en la existencia del monstruo y ni siquiera se dig-
naba examinar las aguas como hacían todos sus compañeros. De cada doce horas el testarudo arponero permanecía
ocho en su camarote leyendo o durmiendo. Varias veces no
pude por menos que afearle su conducta.

— ¡Bah! —me contestaba—. ¿Qué más da, señor Aronnax? Admitiendo que exista el animal ¿cómo podremos
descubrirlo? Debe de estar dotado de una pasmosa velocidad y así vamos en su busca sin ninguna posibilidad de
éxito.

No pude refutar sus objeciones. En efecto, íbamos sin
rumbo, sin saber dónde pudiera estar el monstruo. Todo
eran conjeturas sin base sólida. A pesar de todo, nadie
dudaba del éxito y todos estaban seguros de que pronto
sería localizado el animal.

El 20 de agosto la fragata se dirigió hacia el Oeste y
se internó en los mares centrales del océano Pacífico.

El comandante Farragut creyó con mucho tino que
era preferible frecuentar las grandes profundidades y alejarse de las islas o continentes, cuya proximidad parecía
esquivar el monstruo marino.

Según nuestros datos, nos encontrábamos en el escenario de las últimas apariciones del narval. Todos estábamos nerviosos: no se comía ni se dormía a bordo esperando el gran evento. Durante todo el día un error de apreciación o una ilusión óptica nos hacían estallar en gritos de entusiasmo creyendo que teníamos ya al narval.

Durante tres meses la fragata navegó por los mares septentrionales del Pacífico sin hallar nada. No quedó ni un punto sin explorar desde las playas japonesas hasta la costa norteamericana. No encontramos nada que semejara un narval gigante. Entonces cundió el desaliento. De la euforia se pasó al pesimismo y de éste a la incredulidad.

Esta reacción provocó airadas protestas entre los marineros. Todos querían abandonar la empresa al no creer ya en ella. Pero la obstinación del comandante Farragut impidió que la fragata pusiera proa hacia el sur y abandonara la empresa.

De cualquier modo era lógico que la investigación no podía prolongarse por mucho tiempo. No se podía pedir más a la tripulación y por otra parte nadie tenía la culpa del fracaso. No había ya otra cosa que hacer que regresar.

El comandante Farragut también se daba cuenta de ello; pero, lo mismo que Colón antes de descubrir el Nuevo Mundo, pidió a sus hombres un plazo de tres días. Si en este lapso de tiempo no aparecía el monstruo, la fragata pondría rumbo a los mares europeos.

Esta petición la formuló el capitán el 2 de noviembre y dio como resultado reanimar los decaídos ánimos. Se volvió a observar la superficie de las aguas en un último y desesperado intento. Transcurrieron dos días sin novedad. La fragata se mantenía a baja presión. Se intentaron mil medios para atraer la atención del animal. Se largaron a remolque grandes trozos de tocino, pero lo único que se logró fue aplacar el hambre de los escualos que por allí pululaban. Llegó la noche del 4 de noviembre, plazo dado por el capitán, y no se veían señales del misterioso narval.

Expiraba el plazo, y fiel a su palabra, el comandante

Farragut dio orden de virar al Sudoeste para abandonar las regiones septentrionales del Pacífico.

En aquel momento, yo me encontraba a proa, apoyado en la borda de estribor. Consejo estaba a mi lado mirando a lo lejos. La tripulación estaba encaramada en los obenques.

Pensé que Consejo tal vez observase con tanta atención por si acaso descubría la presencia del monstruo y ganaba la recompensa, así que le dije:

—Puedes aprovechar esta última ocasión para ganarte los dos mil dólares.

—Gracias. Si el señor me lo permite le diré que no me importa el dinero, y que el gobierno de Estados Unidos hubiera podido ofrecer cien mil dólares y lo mismo me habría...

Consejo no pudo terminar sus palabras. Una voz acababa de resonar en medio del silencio general. Era la voz de Ned Land que gritaba:

— ¡Ahí está! ¡Atención!

VI

A TODO VAPOR

Toda la tripulación se precipitó hacia el arponero. Hasta los maquinistas abandonaron sus timones y los fogoneros los hornos. La fragata, que había parado por orden del comandante, se movía solamente a merced de su impulso.

La oscuridad era profunda y yo me preguntaba cómo era posible que Ned hubiera visto al animal, a pesar de que sabía que estaba dotado de una vista prodigiosa. Pero Ned Land estaba en lo cierto. Todos pudimos distinguir claramente lo que Ned nos mostraba con el brazo. A dos cables de la fragata, la superficie del mar aparecía iluminada. No se trataba de un fenómeno aparente. No se podía poner en duda su origen. Era el monstruo. Allí estaba, sumergido, proyectándonos una luz intensísima aunque inexplicable.

Las opiniones no faltaron. Alguien supuso que se trataba de una aglomeración de moléculas fosforescentes. Yo opiné que no existía pez, ni molusco ni planta alguna que despidiera una claridad tan viva. Esa claridad sólo podía producirla un mecanismo eléctrico. De otro lado, avanzaba, retrocedía... ¡se lanzaba contra el barco! El capitán ordenó virar a barlovento y dar contramarcha.

Los marineros se aprestaron a cumplir las órdenes. La *Abraham Lincoln* viró a babor y describió un semicírculo.

La fragata intentó alejarse del foco luminoso, pero el fantástico animal nos persiguió a doble velocidad que la del navío.

La estupefacción nos mantenía a todos mudos e inmóviles. El animal acortó distancias, dio la vuelta a la fragata y la envolvió en sus cascadas eléctricas, como una polvareda lumínica. Después se alejó a tres millas y de repente arrancó hacia la fragata con increíble velocidad, se detuvo a veinte metros de sus precintas, se apagó y se sumergió, reapareciendo al cabo de poco al otro lado del buque. Era inminente una colisión. Yo estaba asombrado de las maniobras que efectuaba la fragata. No atacaba. Sólo se defendía. Era perseguida cuando debía ser la perseguidora. Se lo hice observar así al comandante, pero éste, tan impasible como siempre, no manifestó la menor confusión.

—Debo decirle, señor, que ignoro con quién tengo que enfrentarme. No deseo arriesgarme en la oscuridad. Convenga que no puedo atacar a un adversario si desconozco su forma de obrar. Esperemos al día y entonces sabré cómo proceder.

—¿Sabe usted de qué animal se trata?

—Sin duda es un narval gigantesco. Pero debo convenir que además es eléctrico, distinto a todo lo conocido hasta ahora.

Estas fueron las palabras del capitán, y no dudo que estuviera muy lejos de la verdad.

La tripulación permaneció en vela toda la noche. Nadie pensó en dormir. Como quiera que la fragata no podía competir en velocidad con aquel animal, moderó la marcha. Por su parte, el narval hizo lo mismo y quedó mecido por las olas, aunque sin abandonar aquellos parajes.

A medianoche desapareció o al menos se apagó como un enorme gusano de luz. ¿Habría escapado? Nadie podía decirlo. Pero a la una de la madrugada se oyó un silbido ensordecedor como el de una columna de agua lanzada a lo alto con gran violencia.

El comandante Farragut, el arponero y yo nos hallábamos en la toldilla y oímos el silbido. Entonces exploramos atentamente a través de la oscuridad que nos impedía distinguir nada.

—¿Ha oído el resoplido de ballenas, Ned? —pregunté.

—Muchas veces, y puedo asegurarle que el bufido de la ballena no se parece en absoluto al silbido de este monstruo.

—Así, ¿este silbido no es el mismo que el que producen los cetáceos cuando lanzan el agua por sus orificios? —inquirió el comandante.

—Bueno, tal vez. Pero yo diría que este silbido es mucho más fuerte. No puedo equivocarme. El animal que hemos visto es un cetáceo y, con su permiso, mi comandante, se acordará de nosotros cuando despunte el día y podamos verlo.

—Pero para ello —observó el comandante— necesitará usted que ponga una ballenera a su disposición.

—En efecto.

—Con lo cual expondré la vida de mi tripulación.

—¡Y la mía también! —replicó el arponero.

Serían las dos de la madrugada cuando volvió a verse el foco luminoso a cinco millas a barlovento de la *Abraham Lincoln*.

Toda la tripulación permaneció dispuesta hasta el amanecer, preparándose para la caza. Fueron colocados los aparejos a lo largo de los parapetos. Uno de los oficiales hizo cargar una especie de trabuco, que lanzaba un arpón a una milla de distancia, y varias cerbatanas con balas explosivas, cuya herida es mortal incluso para los animales más fuertes.

A las seis empezó a despuntar el día, y con los primeros resplandores de la aurora empezaron a desaparecer las radiaciones eléctricas del narval. Una hora después una densa niebla cerraba por completo el horizonte e impedía la visibilidad. Era un contratiempo con el que no se había contado.

Yo trepé hasta los masteleros de mesana. Varios oficiales estaban ya en los topes de los mástiles.

A las ocho empezó a clarear el cielo y la bruma se fue disipando. De pronto resonó la voz de Ned Land.

— ¡A babor! ¡Ahí la tenemos!

En efecto, a milla y media de la nave se encontraba el extraño animal.

El buque se acercó y entonces pude examinarlo. Las referencias del *Shannon* y del *Helvetia* habían exagerado algo su tamaño, pues calculé que debía medir unos setenta cinco metros. Era difícil apreciar su corpulencia.

Mientras observaba al monstruo brotaron de sus orificios dos surtidores de agua que se elevaron a cuarenta metros de altura.

Los marineros aguardaban anhelantes las órdenes del comandante. Este, después de un rato de observación, llamó al maquinista.

—¿Tenemos bastante presión?

—Sí, mi comandante.

—Pues entonces fuerce las calderas y a todo vapor.

La orden del comandante fue recibida con entusiasmo. Había empezado el combate. Poco después, las dos chimeneas vomitaban torrentes de humo negro y el puente se estremecía bajo el trepidar de las calderas.

La *Abraham Lincoln* se dirigió sin titubeos hacia el animal. Este la dejó acercarse a medio cable; luego se desvió y mantuvo la distancia.

La persecución se prolongó durante casi una hora sin que la fragata consiguiera alcanzar al monstruo.

El comandante Farragut no podía ocultar su despecho. Llamó otra vez al maquinista y le preguntó con voz destemplada:

—¿Tenemos el máximo de presión?

—Sí, mi comandante.

—¿Qué carga máxima tienen las válvulas?

—Seis atmósferas, señor.

—Pues cárguelas a diez. ¡Vamos! ¿A qué aguarda?

—Es que... —el maquinista titubeaba.

—Es una orden —gritó el comandante.

El maquinista no puso más objeciones.

Se cargaron las válvulas y los hornos se atestaron de carbón. La velocidad de la fragata aumentó; temblaron los mástiles y los torbellinos de humo apenas si hallaban paso por las chimeneas.

—¿Qué marca ahora la corredera, timonel? —preguntó el comandante Farragut.

—Diecisiete millas y tres décimas, mi comandante.

— ¡Que se aviven los fuegos!

Yo estaba emocionado. Aquella persecución resultaba apasionante, fuera de todo límite. Ned Land estaba en su puesto blandiendo el arpón, pero indiferente a todo.

En varias ocasiones pareció que estábamos a punto de alcanzar al monstruo.

— ¡Ya es nuestro! ¡Ya es nuestro! —gritaban los marineros.

Pero cuando nos disponíamos a atacarle, el cetáceo se escurría con una rapidez que de seguro excedía las treinta millas por hora. Parecía increíble. A mediodía nos hallábamos a igual distancia del monstruo que a las ocho de la mañana. Todo era inútil.

El comandante Farragut estaba furioso y se decidió a emplear otros medios.

—¿Cómo es posible que ese animal corra más que mi fragata? ¡Si no hay otro remedio emplearemos balas cónicas! ¡Artillero, a la pieza de proa!

El cañón del castillete fue cargado y apuntado a su objetivo. Se hizo el disparo y el proyectil pasó a unos cuantos metros por encima del animal, situado a media milla.

— ¡Que se ponga otro artillero! —gritó el comandante—. ¡Quinientos dólares si logra atravesar a ese endiablado animal!

Un veterano artillero de barba gris, mirada tranquila y semblante impasible, se acercó al cañón, lo situó en posición y apuntó largo rato.

El proyectil dio en el blanco, pero resbaló por el lomo del animal y fue a perderse mar adentro.

—¿Cómo es posible? —se asombró el veterano artillero.

— ¡Maldito! —exclamó el comandante Farragut, asombrado.

Se reanudó la persecución, pero al llegar la noche tuvo que suspenderse. Pensé que las sombras nocturnas permitirían escapar al animal y que ya no volveríamos a verlo. Pero estaba equivocado.

A las diez de la noche observamos unos resplandores eléctricos, a tres millas a barlovento del navío. Procedían del narval y eran tan intensos como los de la noche anterior.

El extraño animal parecía estar completamente inmóvil. Acaso estaba dormido y se dejaba mecer por las olas. El comandante Farragut no quiso desaprovechar aquella oportunidad. Era la ocasión más favorable para atacar. Dio las órdenes pertinentes y la fragata, a baja presión, avanzó lentamente para no despertar al monstruo. El canadiense volvió a su puesto.

A dos cables del narval, la *Abraham Lincoln* detuvo sus máquinas y se dejó llevar por el impulso adquirido. Toda la tripulación contenía el aliento. Se aproximaba el momento decisivo en el que veríamos coronados todos nuestros esfuerzos. Estábamos ya a menos de treinta metros del foco luminoso.

Yo me encontraba inclinado sobre la barandilla del castillete a proa y veía debajo de mí al canadiense, aferrado con una mano a la martingala y blandiendo en la otra su terrible arpón.

Mis ojos no se apartaban de Ned Land que permanecía impasible. De pronto el brazo del arponero se distendió con violencia y lanzó el arpón con todas sus fuerzas. Desde el sitio en que me encontraba percibí el choque del arma que pareció tropezar con un cuerpo duro.

De repente se extinguió el foco eléctrico y al propio tiempo cayeron sobre nosotros dos enormes trombas de agua, que barrieron el puente de popa a proa, derribando a los tripulantes y destrozando todos los aparejos.

No me di cuenta de nada. Sólo recuerdo que fui despedido por encima de la baranda y, sin tener tiempo de sujetarme a parte alguna, caí al agua.

VII

UNA BALLENA DE ESPECIE DESCONOCIDA

Rápidamente me di cuenta de que corría un peligro mortal. Felizmente, soy un buen nadador y el chapuzón no me hizo perder la cabeza. Dos vigorosos impulsos me devolvieron a la superficie.

Mi primera preocupación fue localizar la fragata. ¿Se habrían dado cuenta de mi caída? ¿Habría botado el comandante alguna embarcación para auxiliarme?

La noche era terriblemente oscura. Nada se veía a mi alrededor. Hacia el Este apenas si se distinguía una masa negra que poco a poco se iba diluyendo. Supuse que era la fragata que se alejaba. Entonces me sentí perdido.

Para avanzar en el agua las ropas se me pegaban al cuerpo, molestando mis movimientos. Mis músculos se paralizaban. ¡Me sumergí! ¡Me asfixiaba!

— ¡Socorro! —grité, pero no pude seguir haciéndolo porque la boca se me llenó de agua.

Forcejeé con todas mis fuerzas para no verme arrastrado al abismo. Y cuando estaba a punto de hundirme, sentí que una mano vigorosa me asía de las ropas. Entonces pude oír estas palabras pronunciadas en mi oído con voz queda y reposada:

—Si el señor puede apoyarse en mi hombro, nadará con más facilidad.

Era la voz de mi fiel criado que acababa de salvarme la vida. Con una mano agarré el brazo de Consejo.

—¿Eres tú? —exclamé.

—Siempre a sus órdenes, señor —contestó.

—¿Es que también te caíste?

—No. Pero como estoy al servicio del señor, creí que mi deber era seguirle. Y aquí estoy.

El fiel criado estaba convencido de que su conducta era la más natural del mundo.

—¿Qué se ha hecho de la fragata? —pregunté.

—Pues, en el momento de arrojarme al agua oí que unos marineros gritaban: "¡La hélice y el motor están rotos!" Creo que es la única avería que ha sufrido la nave, pero lo malo es que el barco no tiene gobierno.

—En tal caso, estamos perdidos...

—Tal vez —contestó Consejo sin inmutarse lo más mínimo—. De cualquier modo disponemos de unas horas y pueden ocurrir muchas cosas.

No pude menos de admirar la sangre fría de mi criado. Nadé con mayor vigor.

De todos modos nuestra situación era muy comprometida. Quizá los de la fragata no se habían dado cuenta de nuestra desaparición, pero aunque así fuera nada podían hacer para salvarnos. El buque no podía volver hacia nosotros con el viento en contra, porque no disponía de timón. Sólo podíamos confiar en los botes.

De común acuerdo decidimos que lo mejor era esperar que los de la fragata se dieran cuenta de nuestra ausencia y enviaran botes a recogernos. Por tanto, era preciso confiar en esa circunstancia, y para ello convenía dividir nuestras fuerzas para no agotarnos al mismo tiempo. Uno de los dos, tendido de espaldas, permanecería con los brazos cruzados y las piernas estiradas, y el otro nadaría empujándole, y viceversa. Era la única solución que nos quedaba para sobrevivir.

Calculé que el choque entre el cetáceo y la fragata debió de haber ocurrido hacia las once. Faltarían, pues, unas ocho horas para la salida del Sol. El mar estaba en calma y facilitaba nuestra tarea. Podíamos nadar sin cansarnos mucho.

Pero a la una de la madrugada me sentí desfallecer. Empecé a experimentar violentos calambres, que agarrotaban mis miembros. Consejo se dio cuenta y me sostuvo. Pero también él estaba cansado, y oía su jadeo entrecortado. Comprendí que todo estaba perdido y que nuestra única esperanza es que se produjese un milagro.

—¡Déjame! ¡Déjame! ¡Sálvate tú! —le dije.

—¿Dejar yo al señor? —respondió—. Jamás lo haré. Espero ahogarme antes que él.

En aquel instante apareció la Luna a través de los desgarrones de una nube y brilló la superficie del mar al recibir su luz. Levanté la cabeza y divisé la fragata. Estaba como a unas cinco millas de distancia y parecía una masa oscura. Quise gritar, pero desistí. ¿Para qué? Ni nos hubieran oído ni yo tenía fuerzas para articular ningún sonido. Consejo aún pudo gritar varias veces, aunque sin mucha fuerza.

Como interrumpimos los movimientos, pudimos prestar atención; nos pareció que una voz contestaba el grito de Consejo. ¿Era una ilusión?

—¿Has oído algo? —murmuré.

—Creo que sí.

Entonces Consejo volvió a pedir socorro, esta vez con más fuerza. Ya no era posible dudar. Una voz, quizá perdida en el océano, respondió a la nuestra.

Consejo hizo un esfuerzo supremo. Se apoyó en mi hombro y se alzó por encima del agua. Agotado, volvió a hundirse.

—¿Has visto algo? —le pregunté.

—Sí. He visto... pero no hablemos ahora. Conservemos las fuerzas.

¿Qué era lo que había visto mi criado? Pero era inútil pensar en nada. La fatiga era tan grande que me dejé llevar por Consejo sin hacer más preguntas y sin oír más que los gritos de éste a los que contestaba otra voz cada vez más cerca. Por fin, medio desvanecido, noté el choque de algo duro y me agarré a ello. Luego sentí que me retiraban del agua y aspiré aire. Entonces perdí el conocimiento. Minutos después entreabrí los ojos.

—¡Consejo! —grité.

—¿Ha llamado el señor?

Entonces advertí que Consejo no estaba solo. Había alguien a su lado, alguien a quien reconocí en seguida.

—¿Es usted, Ned?

—Efectivamente, profesor.

—¿También usted fue lanzado al mar por el choque?

—Así es. Pero tuve más suerte que ustedes.

—¿Por qué?

—Porque en seguida pude poner pie en este islote flotante.

—¿Un islote?

—Sí, profesor. Un islote. Pero también podría decir un narval.

—No entiendo nada. Haga el favor de aclararme esto.

—¿Me entenderá usted si le digo que este animal está construido con planchas de acero?

Entonces empecé a comprender. Las últimas palabras de Ned fueron una revelación para mí. Me icé hasta la parte superior del objeto que nos servía de refugio y lo tanteé con el pie. No cabía la menor duda. Era un cuerpo duro e impenetrable y no una masa fofa. El lomo era liso y no escamoso. Y al recibir un choque producía una sonoridad metálica y estaba formado de planchas remachadas. Aquel animal que había extraviado la imaginación de las gentes era un fenómeno debido a la mano del hombre.

Al darme cuenta de ello sentí una extraordinaria emoción. Estábamos tendidos de espaldas sobre una especie de barco submarino.

—Entonces este aparato debe de contener un motor y una tripulación.

—Sin duda —contestó Ned—. Pero hace ya tres horas que estoy aquí y nadie ha dado señales de vida.

—No obstante, sabemos que está dotado de una gran velocidad. Y como se necesita una máquina para producir esa velocidad y de un mecanismo para dirigirla, creo que podemos considerarnos salvados.

—No estoy muy seguro —titubeó Ned Land.

En aquel momento se produjo una agitación del agua en la popa del aparato. Era sin duda una hélice. El extraño artefacto empezó a navegar. Sólo pudimos agarrarnos a la parte superior, y tuvimos suerte que en aquel momento la velocidad de la nave no era excesiva.

—Mientras navegue por la superficie, no hay peligro, pero si le da por sumergirse... —murmuró Ned Land.

Así, pues, nuestra salvación sólo dependía del capricho del misterioso timonel, que debía de dirigir aquel aparato, y en caso de que se sumergieran podíamos darnos por perdidos.

Hacia las cuatro de la madrugada el aparato aumentó la velocidad, lo cual hizo más difícil que pudiéramos sostenernos, porque las olas azotaban nuestras caras con violencia. Ned tuvo la suerte de encontrar una argolla en aquellas planchas, y todos nos aferramos a ella.

Por fin amaneció. Las tinieblas matutinas que nos envolvían no tardaron en disiparse. Quise examinar el aparato, que tenía en su parte alta una especie de plataforma horizontal, y noté con estupor que se hundía lentamente.

— ¡Vamos! ¡Abran! —gritó Ned Land, golpeando con el pie la plancha metálica—. ¡Abran ya!

No creo que nadie hubiera podido oírnos entre las ensordecedoras sacudidas de la hélice. Afortunadamente, de pronto cesó el movimiento de inmersión.

Al cabo de un minuto se oyó un estrépito de cerrojos y pestillos; se alzó una plancha y aparecieron ocho robustos mocetones, enmascarados, que nos arrastraron al interior de la máquina.

VIII

MOVIL EN EL ELEMENTO MOVIL

El secuestro se había realizado con la velocidad del rayo. No sé qué impresión tendrían mis compañeros al verse introducidos en esa prisión flotante, mas por lo que a mí respecta, debo confesar que se me puso la carne de gallina.

Apenas fue cerrada detrás de mí la angosta escotilla, quedamos en la más profunda oscuridad. Noté que mis pies resbalaban por una escalera de hierro. Ned Land y Consejo, agarrotados como yo, me seguían. Después de bajar la escalera se abrió una puerta, la traspusimos y se cerró inmediatamente con una gran resonancia.

Estábamos solos. Avancé a oscuras y encontré un tabique de hierro. Al volverme, tropecé con una mesa de madera junto a la cual había varios taburetes.

El pavimento del calabozo estaba oculto bajo una gruesa estera de formio, que amortiguaba el ruido de los pasos. Las paredes no presentaban ningún vestigio de puerta ni de ventana.

Al cabo de media hora la habitación se iluminó de pronto. En su intensidad comprendí que era el mismo haz eléctrico que nos había sorprendido a bordo de la fragata.

— ¡Por fin consigo ver claro! —exclamó Ned Land.

—Sí, pero nuestra situación sigue oscura —observé yo, con cierta ironía.

—Tenga paciencia el señor —replicó el impasible Consejo.

La súbita iluminación de la cabina me permitió exami-

narla en sus más mínimos detalles. No disponía más que
de una mesa y cinco taburetes. No se oía el más leve ru-
mor, ni el más pequeño movimiento. Sin, embargo, la luz
se había encendido por algún motivo. Esperaba, pues,
que no tardaría en presentarse alguien.

No me equivoqué. Al poco rato se oyó descorrer unos
cerrojos, se abrió la puerta y aparecieron dos hombres,
cubiertos con unos gorros de piel de nutria marina y calza-
dos con medias de piel de foca. Llevaban ropas de una tela
especial, que no se adhería al cuerpo y dejaba una perfecta
libertad de movimientos.

Uno de ellos, sin pronunciar palabra, nos examinó
atentamente. Luego habló con su compañero sin que pu-
diese entenderle. Intenté hablarles en francés, pero comprendí que no me hacían el menor caso. La situación se
volvió tensa.

—El señor debería referirles lo sucedido —me indicó
Consejo—. Acaso estos señores comprendan alguna palabra
suelta.

Hice la descripción de nuestras aventuras articulando
claramente cada sílaba y sin omitir detalle alguno. Declaré
nuestros nombres y calidades personales.

Aquellos dos hombres me escuchaban tranquilamente
con cortesía y atención. Pero era evidente que no com-
prendieron nada de cuanto les dije. Cuando terminé de
hablar, permanecieron en silencio.

—Quizás usted, amigo Land —dije al arponero—podría
hablarles en inglés y hacerse entender por estos hombres.

Ned accedió a mi ruego y empezó el relato, que yo entendía bastante bien. Repitió casi lo dicho por mí, aunque
con otras palabras. El canadiense se dejó llevar por su temperamento y se quejó con violencia de haber sido apresado;
preguntó en virtud de qué ley se nos retenía allí y amenazó
con represalias a los secuestradores. Finalmente, con un
ademán indicó que teníamos hambre.

Sin embargo, el arponero no fue comprendido. Nues-

tros captores no dieron señales de haber entendido nada.
Cambiaron algunas frases en su extraño lenguaje y se retiraron sin dirigirnos ni un gesto tan sólo.

— ¡No hay derecho! —bramó Land—. Esto es insufrible.

—Amigos míos —manifesté—, no debemos ponernos nerviosos. Hemos salvado la vida..., esperemos, pues, antes de formar un juicio definitivo sobre el capitán y los tripulantes de. este buque.

—No necesito esperar para formar un juicio —contestó Land—. ¡Son unos canallas!

—De acuerdo, pero ¿de qué país?

—Pues del que sea. No me importa.

—Amigo Ned: es muy importante saber a qué país pertenecen. Lo único que podemos afirmar es que no son franceses ni ingleses. Más bien parecen meridionales.

Al terminar de pronunciar estas palabras se abrió la puerta y entró un camarero. Nos traía ropas, chaquetas y pantalones impermeables, confeccionados con una tela desconocida. Nos apresuramos a vestirnos con aquellas prendas. Mientras tanto, el camarero, tal vez mudo y so - do, puso la mesa y colocó en ella tres cubiertos.

—Parece que las cosas se van aclarando —dijo Consejo.

—No lo creo —contestó el irascible arponero—. ¿Qué comida quiere usted que nos den estos hombres? ¡Hígado de tortuga, filete de tiburón y chuletas de foca!

— ¡Esperemos! —contestó el impasible Consejo.

Nos sentamos a la mesa. Las fuentes, cubiertas con sus campanas de plata, fueron alineadas sobre el mantel. Todo era correcto. Sin embargo, en la comida faltaba pan y vino. El agua era fresca y cristalina, pero agua, lo que no agradó a Ned Land. Entre los manjares que nos sirvieron figuraban diversos platos de pescados muy bien sazonados.

El servicio de mesa era elegante e incluso refinado. Cada utensilio, cada cuchara, ostentaba una letra rodeada de un lema, que decía: "Móvil en el elemento móvil". La letra era la N.

Era sin duda la divisa del submarino, y la N debía de ser la inicial del enigmático capitán que mandaba el buque.

Ned y Consejo no pensaban seguramente en nada; sólo devoraban la comida, y yo no tardé en imitarles.

Una vez saciado el hambre sentimos la imperiosa necesidad de reposo.

—Ahora sí que voy a dormir como un bendito —dijo Consejo en medio de un interminable bostezo.

—Pues yo me estoy durmiendo... —contestó Ned Land.

Uno y otro, sin añadir nada más, se tendieron sobre la estera de la cabina y al cabo de unos momentos habían caído en un profundo sueño.

Por mi parte no cedí tan pronto a la necesidad de dormir. Pero una vez mis pensamientos se aquietaron empecé a experimentar una vaga somnolencia y caí, por fin, en un pesado sopor.

IX

LAS IRAS DE NED LAND

Nuestro sueño debió de ser largo, porque reparamos por completo el caudal de energía que habíamos perdido. Fui el primero en levantarme. Ned y Consejo siguieron tendidos como dos cuerpos inertes. Sentía mucha dificultad para respirar. El ambiente del cubículo estaba viciado y no era bastante para el normal funcionamiento de los pulmones. Me daba cuenta de la urgencia que había de renovar el oxígeno, no sólo en la celda sino en toda la nave. Pero... ¿cómo procedería el capitán? ¿Obtendría el aire por medios químicos?

De pronto sentí una corriente de aire puro; sin duda era la brisa del mar. Sentí al mismo tiempo un ligero vaivén: el monstruo de acero acababa de remontarse a la superficie, para respirar a la manera de las ballenas.

Traté de encontrar el conducto por donde llegaba a nosotros el bienhechor elemento. No tardé en verlo. Sobre la puerta había un ventilador que daba paso al aire renovado.

Aquella agradable atmósfera despejó a Ned y a Consejo que se pusieron prontamente de pie.

—¿Ha dormido bien el señor? —preguntó éste al verme.

—Muy bien, muchacho —le contesté—. ¿Y usted Ned?

—De primera, profesor —respondió el arponero—. Pero si el olfato no me engaña creo que respiramos la brisa del mar. ¿Estoy en lo cierto?

No se equivocaba el arponero y así se lo dije.

—¿Será ya la hora de comer? —preguntó éste entonces.

—¿Hora de comer? Sería más acertado decir la hora de almorzar, porque seguramente estamos ya en otro día —dije.

—Entonces nos hemos pasado veinticuatro horas durmiendo —dijo Consejo.

—Eso creo —contesté.

—No voy a discutirlo —replicó Ned Land—. Pero sea la comida o el almuerzo, tengo hambre. Espero que pronto nos traigan comida.

— ¡Paciencia, Ned! —le aconsejé—. Estoy convencido de que estos hombres no han pensado en dejarnos morir de hambre, porque de ser así no nos hubieran dado de comer ayer.

—A no ser que sólo hubieran pretendido cebarnos —respondió Ned.

—No creo esto, amigo Land —dije— y, sobre todo, no se muestre violento con los tripulantes. No podemos hacer nada...

—Claro que sí. Huir de aquí.

—No creo que esto sea fácil. Si en una prisión en tierra ya es difícil, aquí me parece casi imposible.

Ned Land calló. Era evidente que una fuga en aquellas circunstancias era algo descabellado. Sin embargo, al cabo de un momento el arponero demostró su terquedad.

—¿Sabe usted, profesor, qué debe hacerse cuando no hay forma de escapar de una prisión? —dijo con firmeza.

—No lo sé.

—Pues muy sencillo: arreglar las cosas para quedarse en ella.

—¿Lo dice de veras, Ned? ¿Cree poder apoderarse de este buque? —pregunté muy sorprendido.

—Pues sí. Lo creo —contestó el canadiense.

—Eso es imposible.

—¿Por qué, profesor? Puede presentarse una ocasión favorable. Si no son más de veinte hombres no creo que valgan más que nosotros tres.

Era preferible no discutir con Ned Land. Me limité a decirle:

—Esperemos acontecimientos, amigo Land, y veremos qué ocurre. Mientras tanto, contenga su impaciencia, se lo ruego. Conviene evitar la violencia. Prométame aceptar los hechos tal como están.

—Se lo prometo, profesor —contestó Ned Land, un poco más tranquilo.

De momento, la conversación quedó interrumpida. Yo me daba cuenta de que en caso de lucha con la tripulación, llevaríamos las de perder. Mas, por otra parte, comprendía el estado de ánimo de mi amigo.

Estuvimos así más de dos horas, sin que nadie entrase a llevarnos el alimento. Ned Land, atormentado por el hambre, iba montando en cólera. Llamaba, vociferaba, aunque en vano. Empecé a creer que acaso Ned tuviera razón al suponer que nos querían matar de hambre. Consejo permanecía tranquilo como siempre y Ned Land no podía contener su indignación.

De pronto se oyó ruido en el exterior; unas pisadas en el pavimento metálico. Se sintió escarbar en la cerradura, se abrió la puerta y apareció el camarero.

Sin darme tiempo a impedirlo, Ned Land se precipitó sobre el infeliz, que no esperaba la agresión. Fue derribado al suelo y el arponero le apretó la garganta. El canadiense parecía haberse vuelto loco.

El camarero se ahogaba bajo los nervudos dedos del arponero.

Consejo intentó separar a Ned de su víctima, y yo me disponía a unir mis esfuerzos a los suyos, cuando, de pronto, quedé mudo de estupor al oír las siguientes palabras, pronunciadas en francés:

—¡Cálmese, Ned Land! ¡Y usted, profesor Aronnax, haga el favor de escucharme!

X

· EL HOMBRE DE LAS AGUAS

Quien así se expresaba era el comandante de la nave submarina. Al oírle, el arponero se levantó con viveza, y el camarero, medio estrangulado, salió tambaleándose a una orden de su amo.

Consejo y yo aguardábamos el final de la escena. Desde un extremo de la mesa el comandante nos observaba atentamente. Finalmente dijo:

—Señores, hablo lo mismo el francés y el inglés. Sé que están frente a mí don Pedro Aronnax, profesor de Historia Natural del Museo de París; su sirviente Consejo y Ned Land, canadiense y arponero en la fragata *Abraham Lincoln* de la Marina de Guerra de los Estados Unidos.

Yo me incliné en señal de asentimiento. Estaba asombrado. Sus palabras eran claras y precisas y hablaba como un nativo. Sin embargo, no veía en él a un compatriota. Luego de un breve silencio continuó:

—Señor Aronnax, le habrá parecido que demoraba mucho mi entrevista. Comprendo perfectamente su impaciencia, pero necesitaba meditar para decidirme con calma y sin precipitarme sobre la suerte que deben correr. He dudado mucho. Lamento decirles que las circunstancias les han colocado ante un hombre que ha roto con la Humanidad. Ustedes han venido a perturbar mi existencia...

—De forma involuntaria —alegué yo.

—¿Involuntaria? —replicó el comandante, alzando un poco la voz—. ¿Es involuntaria acaso la persecución de la *Abraham Lincoln*? ¿Acaso embarcaron involuntariamente

en la fragata? ¿Fueron disparados involuntariamente los
proyectiles contra mi navío? ¿Lanzó Ned Land el arpón
de forma involuntaria?

Sus recriminaciones excitaron mi amor propio. Le repliqué con acritud:

—No debe usted ignorar las discusiones que la aparición de su nave suscitaron en el mundo y que los diversos
accidentes provocados por su submarino conmovieron a la
opinión pública. Sepa usted, además, que la *Abraham
Lincoln* creía estar persiguiendo un monstruo marino.

El comandante esbozó una sonrisa.

—¿Se atrevería usted a afirmar que la fragata no hubiera cañoneado a un buque submarino lo mismo que a
un monstruo?

No contesté. Comprendía que el comandante era el
más fuerte y que ante él no valían argumentos.

—Lo he pensado bien —prosiguió el comandante—.
No estoy obligado a darles hospitalidad. Con enviarles a la
plataforma y luego sumergirme, asunto concluido.

—Pero cometería una acción indigna de un caballero.

—Señor profesor —replicó vivamente el comandante—,
yo no soy lo que usted llama un caballero. He roto con la
sociedad por razones que sólo a mí incumben. Por lo tanto, no estoy sometido a ninguna ley y le ruego que no in-
voque jamás mi condición caballerosa.

Un relámpago de cólera brilló en los ojos del personaje. No sólo estaba fuera de las leyes humanas, sino que se
había declarado independiente. ¿Quién iba a perseguirle?
¿Qué navío podía resistir el choque de aquel submarino?
Nadie podía pedirle cuentas de sus actos.

Hubo una larga pausa hasta que el comandante volvió
a tomar la palabra:

—Después de pensarlo, creo que puedo conciliar mi
interés con esa piedad natural a que tiene derecho todo
ser humano. He decidido que se queden a bordo, puesto
que así lo ha querido el destino. Podrán circular libremen-

te por mi barco y, a cambio de esa relativa libertad, sólo les impongo una condición.

—Le escuchamos, señor —le contesté—. Supongo que esa condición no será deshonesta.

—En absoluto. Sólo que si circunstancias imprevistas me obligan a tenerles encerrados por algunas horas, deseo una obediencia pasiva. Nada de quejas. ¿Aceptan?

—¡Qué remedio! —respondí—. Sólo deseo hacerle una pregunta.

—Diga usted.

—Nos ha dicho que seríamos libres a bordo. ¿Quiere indicarme qué entiende usted por libertad?

—El poder ir y venir, ver y observar cuanto aquí ocurre, salvo en las circunstancias que ya he indicado. En fin: la misma libertad de la que disfrutamos nosotros.

—Entonces, ¿debemos renunciar a regresar a nuestro país?

—Así es.

—Abusa usted de nuestra situación, y eso es una crueldad.

—No, señor. No es crueldad, es clemencia. Son ustedes prisioneros de guerra. Respeto sus vidas cuando hubiera podido dejarles morir. Ustedes vinieron a sorprender mi secreto y no pueden pretender que les devuelva a su mundo para contar todo lo que han visto.

—Entonces nos da a optar entre la vida y la muerte.

—Ni más ni menos.

—Ante este dilema no puedo oponerme —dije, volviéndome a mis compañeros—. Pero conste que lo hacemos forzadamente.

—De acuerdo, señor Aronnax. Y ahora hablemos de otra cosa. Tengo motivos para suponer que usted, profesor, no lamentará la casualidad que le ha ligado a mi destino. Entre los libros que uso para mis estudios hay una obra suya, que trata de las profundidades marinas. Es muy interesante, pero le faltan datos. No lo sabe usted todo ni mucho menos; no lo ha visto todo y ahora podrá verlo. Va usted a viajar por un país maravilloso. Quedará asombrado del espectáculo que se ofrecerá a su mirada. A partir de hoy vamos a emprender un crucero de muchas leguas en el que verá lo que nadie ha visto, exceptuando mis hombres y yo.

Aquellas palabras del comandante produjeron en mí un efecto decisivo. Había dado en mi flaco y olvidé de momento los sinsabores pasados y nuestro incierto futuro.

—Una última pregunta —dije, en el momento en que el comandante iba a retirarse.

—Hable, señor Aronnax.

—¿Cómo debo llamarle?

—Para ustedes soy el capitán Nemo y el buque en que navegamos es el *Nautilus*.

El capitán Nemo llamó a un criado y le comunicó sus órdenes en aquella lengua tan extraña que no me era posible identificar. Luego se volvió hacia el canadiense y Consejo y les dijo:

—La comida les espera en su cabina. Tengan la bondad de seguir a este hombre.

Consejo y Ned Land obedecieron prestamente.

—Y ahora, señor Aronnax, también está preparada nuestra comida. Permítame que le guíe.

Seguí al capitán Nemo hasta el comedor, en cuyo centro había una mesa espléndidamente servida. El capitán Nemo me indicó que me sentara.

El almuerzo se componía de cierto número de platos elaborados con elementos del mar y otros manjares, cuya naturaleza y procedencia ignoraba por completo. Todos los alimentos me parecieron ricos en fósforo y pensé si debían de ser de origen marino.

El capitán Nemo veía mis dudas y se adelantó a responder a mis preguntas.

—Estos manjares son desconocidos para usted —me dijo—. Sin embargo, puede comerlos sin temor porque son sanos y nutritivos. Hace tiempo que prescindo de alimentos terrestres y no me va del todo mal.

—Entonces, ¿todos estos alimentos proceden del mar?

—Sí, señor profesor. El mar atiende a todas mis necesidades.

Mi asombro era total.

—Este mar, señor Aronnax —prosiguió el capitán—, es un proveedor inagotable. No sólo nos proporciona estos alimentos, sino también los vestidos. Las telas que nos cubren están tejidas con el viso de ciertos mariscos, teñidas con la púrpura de los fenicios. Los perfumes que usamos son producto de la destilación de plantas marinas. Los colchones de las camas están rellenos con los más suaves zosteros del océano. La pluma es una barba de ballena y la tinta que empleamos, el líquido segregado por la sepia. Ya ve usted que todo nos lo da el mar.

—Es usted un entusiasta del mar, capitán.

—¡Oh, sí! El mar lo es todo. En él se manifiestan los tres reinos: mineral, vegetal y animal. Por el mar ha comenzado el mundo y quién sabe si acabará por él. El mar no pertenece a los tiranos; sólo en él existe la verdadera libertad. En el mar no reconozco dueños. ¡Soy libre!

El capitán Nemo calló en medio de su desbordante entusiasmo. Durante unos momentos paseó por la habitación como si deseara tranquilizarse. Cuando sus nervios se aplacaron se volvió hacia mí y dijo:

—Si desea visitar el *Nautilus*, profesor, estoy a su disposición.

XI

EL NAUTILUS

El capitán Nemo abrió una doble puerta practicada en la pared opuesta. Yo me levanté y le seguí. Penetramos en una sala de parecidas dimensiones a la que habíamos dejado.

Era una biblioteca. Los armarios eran muy altos, hechos con palosanto con incrustaciones de bronce. Estaban llenos de libros, bellamente encuadernados.

—Le felicito, capitán —alabé—. Aquí tiene usted por lo menos unos seis mil volúmenes.

—Se equivoca —corrigió el capitán—. Tengo doce mil. Todos a su disposición, cuando lo desee.

Me acerqué a contemplar las estanterías. Había libros de moral, ciencia y literatura, escritos en todos los idiomas, ordenados indistintamente, sin separación, lo que indicaba que el capitán dominaba todos los idiomas, por lo que podría leer cualquiera que sacara al azar. Pero los libros de ciencia eran los que predominaban: mecánica, balística, hidrografía... Lo que me halagó fue encontrar entre los libros de Historia Natural dos volúmenes de los que yo era autor. Estaba allí también una obra titulada *Los Fundamentos de la Astronomía*, publicada en 1865, y comprendí que la fabricación del *Nautilus* no podía remontarse a época más remota. Por tanto, hacía tres años, a lo sumo, que el capitán Nemo había empezado su existencia submarina.

—Le agradezco permitirme disponer de la biblioteca —dije—. Hay verdaderos tesoros y me aprovecharé de ellos.

Al cabo de un buen rato el capitán me indicó amablemente que había terminado la visita y que me llevaría a mi camarote para que conociera el sitio que me tenía reservado.

Seguí al capitán Nemo hasta mi camarote, que era una elegante habitación con cama, tocador y otros muebles.

No tuve más remedio que agradecerle con verdadera sinceridad su hospitalidad y atenciones.

—Nuestros camarotes están contiguos —me dijo, abriendo una puerta—, y el mío cae al salón que acabamos de abandonar.

Entré en la cámara del capitán, que tenía un aspecto severo, sin lujos ni comodidades. Contenía sólo lo estrictamente necesario.

El capitán Nemo me indicó que me sentara. Así lo hice y el se expresó entonces así:

—Estos aparatos que ve suspendidos de las paredes son los que hacen navegar al *Nautilus*. Los tengo siempre a la vista y me indican exactamente mi posición y mi dirección en el mar.

—Muchos los conozco, capitán, pues son de uso corriente en la navegación; pero veo otros que deben ser especiales para el *Nautilus*. Por ejemplo, ese cuadrante que está ahí, ¿no es un manómetro?

—En efecto. Un manómetro que, en comunicación con el agua, me indica, por la presión de la misma, la profundidad a que se mantiene mi nave.

—¿Y esas sondas de un modelo nuevo?

—Son sondas termométricas, que me indican la temperatura de las diversas capas de agua.

—¿Y esos otros instrumentos?

—Respecto a ellos debo darle unas explicaciones previas —contestó el capitán Nemo—. Existe una fuerza poderosa como dueña absoluta a bordo. Gracias a ella puedo resolver todos los problemas. Esa fuerza es la electricidad.

— ¡La electricidad! —exclamé, asombrado.

—Así es.

—No comprendo cómo con la electricidad ha podido usted conseguir tal rapidez en sus evoluciones. Hasta ahora la electricidad sólo ha producido escasas fuerzas.

—Mi electricidad, señor Aronnax —replicó el capitán—, no es la que usted conoce. Recuerde la composición del agua del mar. El cloruro de sodio figura en abundancia. Con este sodio formo la electricidad.

—¿Con sodio?

—Sí, señor. El sodio mezclado con el mercurio forma una amalgama que produce los mismos efectos que el zinc en los elementos Bunsen. El mercurio no se consume jamás; el sodio se gasta, cierto, pero el mar me lo facilita en abundancia. Las pilas de sodio son muy potentes y su fuerza electromotriz es mucho mayor que las de zinc en igualdad de peso y volumen.

—Comprendo lo que me dice, capitán; pero el sodio hay que fabricarlo, extraerlo. ¿Cómo lo hace usted? Podría utilizar las pilas, pero creo que el gasto que le ocasionaría sería muy grande. En una palabra, no sería rentable. ¿Me equivoco?

—No, profesor. No se equivoca. Por eso no utilizo pilas, sino el calor del carbón de piedra.

—¿Carbón de piedra? —exclamé, sorprendido.

—Bueno, llámele carbón de mar, si quiere.

—¿Y puede explotar minas submarinas de hulla?

—Ya lo verá usted. Sólo le pido un poco de paciencia, pues tiempo tendrá para todo. Recuerde lo que le dije antes: todo se lo debo al mar; el mar me proporciona la electricidad, y la electricidad al *Nautilus* calor, luz, movimiento y vida.

—Pero, ¿y el aire para respirar?

—Cuando me falta aire me remonto a la superficie del mar. De todas formas, si la electricidad no me proporciona aire, hace funcionar potentes bombas que almacenan el aire en depósitos. Gracias a esta reserva puedo permanecer más tiempo en las profundidades sin salir a la superficie.

—Estoy admirado, capitán. No cabe duda de que ha descubierto usted la verdadera fuerza dinámica de la electricidad.

—Así es. Y ahora, ¿quiere seguirme? Le mostraré la proa del *Nautilus*.

Le seguí a través de los pasadizos de comunicación hasta llegar al centro del navío. Allí había una especie de pozo abierto entre dos tabiques estancos. Una escala de hierro daba acceso a la parte superior.

—¿Para qué se usa esta escala? —pregunté.

—Conduce directamente al bote.

—¿Tiene usted un bote?

—Claro. La utilizo para pescar y pasear.

Abandonamos la plataforma y pasamos por deante de una cámara de dos metros de largo. Franqueamos la cocina y luego visitamos los dormitorios de la tripulación. En el fondo había la puerta de la sala de máquinas. Entramos en ella. Allí tenía instalados el capitán Nemo sus aparatos de locomoción.

Examiné las máquinas con gran interés.

—Ya lo ve —comentó el capitán—, uso elementos Bunsen y no Ruhmkorff. La práctica me ha enseñado que los Bunsen son más potentes y resistentes. La electricidad producida es transportada a popa por electroimanes de grandes dimensiones a un sistema de palancas y engranajes, que transmiten el movimiento al árbol de la hélice. Esta tiene un diámetro de seis metros y siete y medio de luz, y puede dar unas veinte revoluciones por segundo.

—Por tanto, la velocidad que obtiene es...

—De cincuenta millas por hora.

Quedé asombrado ante la respuesta, pero preferí callar.

El capitán se dio cuenta de mi perplejidad y me interrogó con la mirada.

—Temo abusar de su amabilidad —dije—. He visto maniobrar al *Nautilus* frente a la *Abraham Lincoln* y sé a qué atenerme en cuanto a su velocidad. Pero esto no es suficiente. Hay que ver por dónde se va, poder ir a la derecha o a la izquierda, arriba y abajo. ¿Cómo puede alcanzar tanta profundidad? ¿Cómo puede luego subir a la superficie? Temo ser indiscreto...

—No, profesor, ya le dije que podía preguntar... puesto que jamás ha de abandonar la nave. Vamos al salón, que es mi verdadero despacho de trabajo. Allí sabrá cuanto debe saber acerca del *Nautilus*.

XII

TODO POR LA ELECTRICIDAD

El salón era una cámara amplia, decorada con verdadero gusto y con gran profusión de obras de arte.

Nos sentamos en un diván, fumando un cigarrillo. El capitán puso ante mí un dibujo, en el cual aparecía el plano del buque con el corte vertical y horizontal del mismo.

—Aquí tiene usted las dimensiones de la nave —dijo—. Es un cilindro prolongado, con extremos cónicos. Tiene la forma aproximada de un cigarro. La longitud es de setenta metros y su anchura máxima de ocho. Está construida de modo que el agua desplazada ofrezca poca resistencia. Cuando tracé los planos quise que, mantenida en equilibrio en el agua, quedasen sumergidas nueve décimas partes. El *Nautilus* se compone de un doble casco. Ambos están unidos entre sí por hierros en forma de T, que le dan una extremada rigidez. Gracias a esta disposición resiste como si fuera un bloque macizo. Cuando el barco se encuentra a flote emerge una décima parte. Si dispongo de depósitos de una capacidad igual a esa décima parte y los lleno de agua, el buque desplazará entonces mil quinientas toneladas, o las sobrepasará y se sumergirá por completo. Los depósitos están en las sentinas del *Nautilus*. Abro unas espitas, se llenan y el barco se hunde.

—Comprendo. Pero al descender bajo el agua su aparato hallará una presión y sufrirá un impulso de abajo arriba. Este impulso lo podemos calcular en una atmósfera por cada diez metros de profundidad, o sea, casi un kilogramo por centímetro cuadrado.

—Efectivamente.

—Por tanto, a menos de anegar totalmente el *Nautilus* no entiendo cómo puede usted sumergirlo.

—No hay que confundir la estática con la dinámica, profesor —objetó el capitán Nemo—. De hacerlo podríamos incurrir en graves errores. No es muy difícil alcanzar las bajas regiones del mar, porque los cuerpos tienden siempre a buscar el centro de gravedad. Fíjese bien: cuando traté de determinar el exceso de peso que tenía que dar el navío para sumergirlo, no tuve que preocuparme más que de la reducción de volumen que experimenta el agua de mar a medida que se va profundizando en sus capas.

— ¿Eso es todo?

—Sí, profesor. Es fácil calcularlo. Puedo descender a grandes profundidades porque cuento con depósitos suplementarios capaces de cargar cien toneladas de agua.

—Lo admito, capitán —contesté—. Sin embargo, quisiera preguntarle una cosa.

—Le escucho.

—Cuando el *Nautilus* se encuentre a mil metros de profundidad, las paredes del navío soportarán una presión de cien atmósferas. Si vacía los depósitos suplementarios para remontarse a la superficie, será necesario que las bombas logren vencer esa presión...

—Que sólo puede darme la electricidad —interrumpió el capitán Nemo—. Quiero repetirle que la potencia dinámica de mis máquinas es casi ilimitada. Las bombas del *Nautilus* tienen una fuerza prodigiosa y usted lo habrá podido apreciar cuando sus chorros de agua cayeron sobre la cubierta de la *Abraham Lincoln*. Piense que no utilizo los depósitos suplementarios más que para llegar a profundidades medias de mil quinientos a dos mil metros. Cuando deseo profundidades menores uso los timones.

—Pero, ¿cómo puede el timonel seguir la ruta indicada por usted en medio de las aguas?

—El timonel va dentro de una garita cerrada, que forma

saliente en la parte superior del *Nautilus*, y cuyas paredes son cristales lenticulares.

—¿Y estos cristales pueden resistir tales presiones? —pregunté, porque tal cosa me parecía impensable.

—No lo dude. El cristal, tan frágil al choque, ofrece, no obstante, una resistencia considerable. Hay placas de cristal de siete milímetros de grueso, que han resistido una presión de diecisiete atmósferas. Tenga en cuenta que los cristales que yo utilizo tienen veintiún centímetros en su centro, o sea, un grueso treinta veces mayor.

—Conforme, capitán. Pero tenga en cuenta que para ver es preciso que la luz ahuyente las tinieblas, y no veo cómo, en la oscuridad de las aguas...

—Detrás de la garita del timonel hay un reflector de gran potencia, cuyos rayos iluminan el mar a media milla de distancia.

—¡Muy bien, capitán! Todo es perfecto en el *Nautilus*. Ahora me explico la fosforescencia que se reflejaba en el mar. Realmente, es algo maravilloso.

—Sí, profesor —contestó emocionado el capitán Nemo—. Amo al *Nautilus* como si fuera mi propia carne. Tengo absoluta confianza en mi nave: nada le falta para ser perfecto. No está expuesto a abolladuras, no hay posibilidad de incendios, no hay cuidado de que falte combustible, no es necesario prevenir choques y no ha de afrontar tempestades.

No había duda de que el capitán Nemo amaba a su *Nautilus* como un padre ama a su hijo. Su voz temblaba, y el ardor de su mirada le transfiguraba. Era otro hombre. Una vez calmado su arrebato le pregunté:

—¿Es usted ingeniero, verdad?

—Sí, señor Aronnax —me contestó—. He cursado estudios en Londres, Nueva York y París.

—Lo que no entiendo es cómo pudo construir en secreto este maravilloso navío.

—Cada elemento de los que lo forman me fue enviado

desde un sitio diferente. Todos los proveedores recibieron mis planos y pedidos bajo nombres diversos.

—Pero una vez fabricadas las distintas piezas tuvo que montarlas y ajustarlas —le repliqué.

—Para ello tenía mis propios talleres en un islote desierto en pleno océano. Mis compañeros, o sea los tripulantes del *Nautilus*, instruidos y formados por mí, acabaron la construcción del submarino.

—Entonces debo suponer que este barco le ha costado una fortuna. ¿Es usted inmensamente rico, capitán?

—Sí, lo soy. Si quisiera podría saldar sin esfuerzo los doce millones de la deuda francesa.

Quedé tan asombrado con la respuesta que no acerté a decir nada más. Contemplé fijamente al extraño personaje. No sabía si dar crédito a sus palabras. Sólo el tiempo se encargaría de dar respuesta a mis dudas.

XIII

UNA INVITACION

Una vez estuve en mi camarote quedé abismado en profundas reflexiones sobre lo visto y oído.

Ned Land y Consejo me sacaron de mi abstracción. Habían llamado a la puerta y les invité a entrar.

—¿Dónde estamos? —preguntó el canadiense.

—Si el señor me lo permite yo diría que estamos en el palacio de Sommerard.

—Estamos a bordo del *Nautilus*, amigos míos —ies contesté—, y a cincuenta metros bajo la superficie del mar.

—Lo creo porque lo dice el señor —replicó Consejo—, pero todo me parece desconcertante.

Por mi parte, les conté toda la entrevista con el capitán Nemo. Ned Land me hizo muchas preguntas acerca del misterioso capitán, pero yo no pude aclarar muchas de sus dudas. Lo que más preocupaba a Ned era saber cuántos hombres había a bordo. Yo le contesté que lo ignoraba.

—Necesitamos saber cuántos hombres forman la tripulación —repitió Ned Land.

—Comprendo su interés, Ned, pero abandone la idea de apoderarse del *Nautilus* por la fuerza. Esta embarcación es un portento de la industria moderna y lamentaría no haberla conocido. Créame, ármese de paciencia y esperemos.

Al día siguiente, 9 de noviembre, no me desperté hasta después de haber dormido doce horas de un tirón. Consejo acudió, según su costumbre, a saber cómo había pasado la noche, y a ofrecerme sus servicios.

Me preocupaba mucho la ausencia del capitán Nemo,

a quien no había vuelto a ver, lo mismo que a nadie de la tripulación.

Al otro día empecé a tomar nota ordenada y minuciosa de todos los acontecimientos. Ese día reinó la misma soledad del anterior. No vimos a nadie de la tripulación. Sólo Consejo y Ned Land me hacían compañía.

Transcurrieron así cinco días. El 16 de noviembre, cuando entré en mi camarote, encontré sobre la mesa un billete dirigido a mí. Lo abrí con impaciencia; el texto era el siguiente:

Señor profesor Aronnax, a bordo del Nautilus.
16 de noviembre de 1868.
El profesor Nemo tiene el honor de invitar al profesor Aronnax a una partida de caza que tendrá lugar mañana por la mañana en los bosques de la isla Crespo. Espera su asistencia y desea también la de sus compañeros.

—¿Será posible? ¡Una cacería! —exclamó Ned Land—. ¿Es que piensa ir a tierra?

—La invitación es clara —contesté.

—Tenemos que aceptar —exclamó alborozado Ned Land.

Sin embargo, yo estaba algo desorientado, pues no comprendía aquella invitación de caza con la aversión manifiesta del capitán a abandonar la nave.

Al despertar al día siguiente, me di cuenta con sorpresa que el *Nautilus* estaba completamente inmóvil. Me vestí a toda prisa y pasé al salón.

Allí estaba el capitán Nemo. Se levantó y me saludó. Se limitó a preguntarme si estábamos dispuestos a ir con él. Yo entonces le contesté:

—Lo que no entiendo, capitán, es que, habiendo roto sus contactos con el mundo civilizado, tenga usted bosques en la isla Crespo.

—Los bosques de mi propiedad no son terrestres, sino

submarinos. No viven en ellos animales cuadrúpedos, y no piden al Sol su luz ni su calor.

— ¡Bosques submarinos! —exclamé.

—Sí, señor profesor.

— ¿Y me invita a cazar?

—Así es.

— ¿Con escopeta? —insistí, en el colmo del asombro.

—Exacto.

Me quedé mirando al capitán, no dando crédito a sus palabras.

El capitán Nemo debió de darse cuenta, pero se limitó a invitarme a que le siguiera. Le seguí, dispuesto a aceptar resignado los acontecimientos.

Entramos en el comedor del *Nautilus*, donde ya estaba preparado el almuerzo.

—Le ruego, señor Aronnax —me dijo el capitán—, que almuerce conmigo sin cumplidos.

El capitán Nemo se mantuvo silencioso durante la comida. Al terminar me dijo:

—Cuando le invité a una cacería en mis bosques de la isla Crespo, me creyó usted en contradicción conmigo mismo. Al decirle después que se trataba de bosques submarinos me tomó por loco. No hay que hacer juicios tan precipitados, señor profesor...

—Le aseguro que nunca creí...

—Usted sabe igual que yo que el hombre es capaz de vivir debajo del agua si lleva consigo una provisión de aire. No puede ignorar, señor Aronnax, que el buzo, con su traje impermeable y con la cabeza dentro de un casco metálico, recibe el aire del exterior por medio de bombas impelentes y de reguladores de salida. ¿No es cierto?

—Sin duda. Así funcionan las escafandras —le contesté sin atinar a dónde quería ir a parar.

—Pero con este medio el hombre no tiene libertad de movimientos. Depende de la bomba que le envía el aire por un tubo de goma.

—¿Y de qué medios se vale, pues? —pregunté interesado.

—Para ello empleo el aparato Rouquayrol-Denayrouze, ideado por dos compatriotas suyos, pero perfeccionado. Se trata de un receptáculo de metal, en el que se almacena el aire a una presión de cincuenta atmósferas. Va sujeto a la espalda por medio de correas. En su parte superior hay una caja, de la que el aire no puede salir más que a su presión normal. ¿Comprende?

—Perfectamente. Pero el aire del depósito se consume con rapidez, y cuando contenga menos del quince por ciento de oxígeno se convertirá en aire irrespirable, nocivo al organismo y, por tanto, sobrevendrá la asfixia. ¿Me equivoco, capitán?

—No, no se equivoca, pero ya le he dicho a usted que las bombas del *Nautilus* me permiten almacenar el aire a elevada presión, y de tal forma el depósito puede suministrar aire puro durante unas nueve o diez horas.

—Tiene usted solución para todo —le contesté—. ¿Y cómo se alumbra en el fondo del océano?

—Empleo un aparato Ruhmkorff, que va sujeto a la cintura. Al funcionar el aparato el gas se inflama y da una luz blanca y constante.

—Me ha convencido, capitán. Pero permítame, sin embargo, ciertas dudas respecto de las escopetas que pretende usted que disparemos dentro del agua.

—¡Ah, vamos! ¿Cree usted que son armas de fuego?

—Claro. ¿Qué si no? —contesté sorprendido por aquella pregunta.

—Siento contradecirle, señor Aronnax. No son armas de fuego, sino de aire comprimido.

—Sin embargo —insistí—, con tan poca luz y a través de un líquido tan denso, me parece que los disparos resultarán cortos y difícilmente mortales.

—Está usted en un error, señor Aronnax. Precisamente con estas escopetas de aire comprimido todos los disparos son mortales de necesidad. Los proyectiles que uso no son corrientes. Consisten en unas cápsulas de cristal, que van recubiertas con una armadura de acero y cerradas por un remate de plomo, en las que la electricidad se halla acumulada a una elevada tensión. Al más pequeño choque se descargan, y el animal, por fuerte que sea, muere al instante.

—Me doy por vencido. No tengo nada más que oponer, capitán. Acepto la escopeta y le seguiré adonde usted vaya —declaré sin ambages.

Abandonamos el salón y nos dirigimos a la popa del *Nautilus*, donde nos esperaban Ned y Consejo. Momentos después entramos todos en un departamento contiguo a la sala de máquinas, donde debíamos ponernos nuestros trajes submarinos.

XIV

PASEO EN LA LLANURA

A una llamada del capitán, se presentaron dos indivi-duos de la tripulación, que nos ayudaron a vestir aquellos raros y pesados trajes de caucho, sin costuras y adecuados para resistir grandes presiones.

El capitán Nemo, uno de los tripulantes, muy hercúleo, Consejo y yo, nos ajustamos las respectivas escafandras. Ned Land no quiso acompañarnos, al saber que la cacería no era para conseguir carne fresca.

Antes de encajar la cabeza en la esfera metálica, pedí permiso al capitán para examinar la escopeta que debía-mos llevar. El capitán accedió, y uno de los tripulantes me entregó el arma. Comprobé que era una escopeta sencilla con una gran culata de acero, hueca en su interior. La cula-ta servía de depósito al aire comprimido que se introducía en el cañón por medio de una válvula accionada por un pestillo. En el fondo de la culata había una caja para los proyectiles. Contenía unos veinte balines eléctricos que, mediante un resorte, pasaban al cañón del arma. Una vez disparada, volvía a cargarse.

El cuello de las chaquetas era una tirilla de latón a la que se acoplaba atornillado el casco de metal. Tres abertu-ras protegidas por sólidos cristales permitían ver en todas direcciones con sólo mover la cabeza dentro de la esca-fandra. Una vez colocada noté con agrado que respiraba sin dificultad.

De mi cintura colgaba el aparato Ruhmkorff, y arma-do con la escopeta, estuve dispuesto. Con gran sorpresa, me di cuenta de que no podía dar un paso. Me hallaba agarrotado por aquella pesada vestimenta y clavado al suelo por los pesados zapatos de plomo.

Pero el capitán Nemo ya había previsto aquello. Sentí que me empujaban hacia el recinto contiguo, al igual que a Consejo. Una puerta provista de obturadores se cerró a nuestras espaldas, y durante unos momentos permanecimos en tinieblas.

Al poco rato pude oír un estridente silbido y sentí al mismo tiempo una impresión de frío, que me iba subiendo de los pies a la cabeza. Sin duda alguna habían dado entrada al agua del exterior, que no tardó en llenar la cabina. Entonces se abrió una segunda puerta, practicada en el costado del submarino, y una débil claridad nos iluminó. Un instante después nuestros pies tocaban el fondo del mar.

El capitán Nemo iba delante y su compañero nos seguía a unos pasos. Consejo y yo íbamos juntos. No sentía el menor agobio. No me molestaban ni las ropas, ni el calzado, ni el depósito de aire, ni la maciza esfera que cubría mi cabeza. Disfrutaba de una relativa soltura de movimientos.

Eran las diez de la mañana. Los rayos del sol caían con bastante oblicuidad sobre la superficie del mar, y al contacto de su luz, descompuesta por la refracción, flores, plantas, rocas, conchas y pólipos adquirían en sus bordes los colores del arco iris. Era un espectáculo maravilloso. Lo que más notaba en falta era no poder comunicar mis impresiones a mis compañeros, hacerles partícipes de mi admiración.

Haría ya una hora y media que habíamos salido del *Nautilus* y poco a poco desapareció la magia de colores que tanto me había maravillado. Marchábamos a paso regular hasta llegar a una profundidad de cien metros con una presión de diez atmósferas. A pesar de ello no me sentía cansado ni me molestaba en absoluto dicha presión.

El capitán Nemo se detuvo un instante esperando que me uniera a él. Con el índice de la mano me señaló unas masas oscuras que se destacaban de la penumbra, a poca distancia de allí.

"Debe de ser el bosque de la isla Crespo", pensé.

Efectivamente lo era, como comprobé al cabo de pocos minutos.

Llegamos, pues, a la linde del bosque; sin duda una de las más frondosas posesiones del capitán Nemo, que lo consideraba de su propiedad. Y ciertamente, ¿quién podía disputarle la posesión de aquellos bosques submarinos?

El bosque estaba formado por grandes plantas arborescentes que presentaban una original disposición en su ramaje, que no había visto nunca antes. Ninguna de las hierbas que cubría el suelo, ninguna rama que se erizaba en los arbustos, rastreaba o se curvaba, ni se extendía horizontal. Todas se elevaban buscando la superficie del mar. No había tallo o filamento, por delgado que fuese, que no se mantuviera erecto. Los fucos y las lianas se desarrollaban siguiendo una línea recta, impuesta por la densidad del líquido que les había dado vida.

Observé que todos los vegetales estaban sujetos al suelo muy superficialmente; no precisaban raíces. Tales plantas no proceden sino de sí mismas, y el principio de su existencia se encuentra en el agua que les da vida y las alimenta; sólo necesitan un punto de apoyo.

Entre los arbustos de mayor tamaño se amontonaban matorrales de flores vivientes, montones de zoófitos, sobre los que se desarrollaban cebradas meandrinas de tortuosos listados, amarillentas carofilas, masas de zontairos, y para hacer más completa la ilusión, percibí peces mosca, que iban de rama en rama como si fueran enjambres de colibríes. Además, dorados lepisacantos, de mandíbula erizada y escamas punzantes; dactilópteros y monocentros se levantaban a nuestro paso como bandadas de becadas. Yo estaba en mi elemento al contemplar tantas maravillas.

A la una el capitán Nemo dio la señal de alto. Nadie se lo hizo repetir dos veces, y nos tendimos bajo un enramaje de alarias, que se erguían como flechas.

Calculé que el paseo duraba ya unas cuatro horas y me extrañé de no sentir las punzadas del hambre. En cambio, experimenté cierta somnolencia como ocurre a todos los buzos. Mis párpados se cerraron y caí en un profundo sopor. Los demás hicieron lo mismo.

Cuando desperté el Sol descendía hacia el horizonte. El capitán Nemo estaba ya de pie. Yo comenzaba a desperezarme cuando una aparición inesperada me hizo incorporar tan ligero como pude.

A pocos metros una monstruosa araña de mar se disponía a lanzarse sobre mí. No pude contener un movimiento de terror. Consejo y el marinero se despertaron en aquel momento y se dieron cuenta del peligro que yo corría. El capitán Nemo hizo una seña al marinero y éste se precipitó sobre el horrible crustáceo sin demostrar el menor temor. De un culatazo lo hizo rodar por el suelo y la araña retorció las patas en espantosas convulsiones. Al cabo de unos momentos quedó inmóvil.

Aquel peligroso encuentro me hizo pensar en otros animales más temibles que quizás estarían en busca de alimento.

Pensé que allí terminaba el paseo, pero estaba equivocado. El capitán Nemo indicó que seguíamos adelante.

Serían las tres cuando llegamos a una estrecha cañada, abierta a pico entre dos muros, y situada a ciento cincuenta metros de profundidad. La oscuridad se hacía cada vez más densa. El capitán Nemo puso en funcionamiento su aparato eléctrico y todos le imitamos. La luz blanca que despedía el aparato nos permitió proseguir el camino sin dificultad. Yo pensaba que aquella luz podría atraer a algún habitante de aquellas sombrías capas. El capitán Nemo debía también creerlo así, porque varias veces le vi detenerse y amartillar su escopeta.

Alrededor de las cuatro terminó aquella maravillosa excursión. Ante nosotros se alzaba un muro de rocas, que formaba un hacinamiento de gigantescos bloques. Eran las escarpaduras de la isla Crespo. Era tierra.

A una señal del capitán Nemo todos nos detuvimos. Emprendimos el regreso. De pronto el capitán se echó la escopeta a la cara y apuntó a un objeto que se movía entre las matas. El disparo partió con un leve silbido, y un animal cayó muerto a pocos pasos.

Era una nutria, un enhidro, único cuadrúpedo que vive exclusivamente en el agua. Medía metro y medio y constituía una valiosa pieza. Su piel era de color castaño oscuro por encima y plateada en el vientre; la finura y el lustre de su pelaje le aseguraban un valor mínimo de dos mil francos.

El marinero recogió el animal, se lo cargó a la espalda, y reanudamos la marcha.

Me había quedado algo rezagado cuando vi retroceder al capitán Nemo, llegar hasta mí y derribarme a tierra. Lo mismo hizo el marinero con Consejo. De momento no comprendí el porqué de aquella súbita agresión. Sin embargo, me tranquilicé al ver que el capitán se tumbaba a mi lado y permanecía inmóvil.

En esta posición se me ocurrió alzar la cabeza y distinguí dos enormes masas, que pasaban con gran estrépito, lanzando destellos fosforescentes.

No pude reprimir un movimiento de espanto. Eran dos enormes escualos, una pareja de tintoreras, tiburones de gran cola, con pupila vidriosa, que destilan una materia fosforescente por unos orificios situados alrededor del hocico. Eran capaces de pulverizar el cuerpo de un hombre entre sus mandíbulas.

Afortunadamente para nosotros, estos animales son cortos de vista. Pasaron muy cerca sin advertirnos. Habíamos escapado de aquel peligro, más grave que el encuentro de un tigre en pleena selva.

Nos levantamos y proseguimos la marcha. Media hora después, gracias a la estela eléctrica, llegamos al *Nautilus*.

La puerta exterior del navío permanecía abierta, y el capitán la cerró tan pronto entramos en el primer compartimiento. Luego oprimió un botón. Funcionaron las bombas y sentí que el agua bajaba de nivel rápidamente. El recinto quedó completamente vacío en pocos minutos. Entonces se abrió la pueerta interior y pasamos al vestuario para quitarnos las escafandras. Lo hicimos no sin trabajo porque estábamos fatigados y muertos de sueño. En seguida me fui a mi camarote, deseando tenderme en la cama y olvidarme de todo.

XV

DENTRO DEL PACIFICO

Al día siguiente, 18 de noviembre, el mar estaba desierto. No se veía rastro alguno de embarcación en el horizonte.

Estaba admirando el magnífico panorama que se ofrecía a mi vista cuando se presentó el capitán, que parecía no darse cuenta de mi presencia, entretenido en dar órdenes a sus hombres. Veinte marinos se fueron reuniendo en la plataforma, dispuestos a retirar la red que el buque había llevado a rastras durante la noche. Aquellos hombres pertenecían sin duda a diferentes nacionalidades. Sobrios de gestos y de palabras empleaban entre sí el enigmático idioma cuyo origen me era imposible reconocer. Calculé que la redada aportaría algo más de mil libras de pescado. Era una buena captura, parte de la cual fue vaciada en las despensas, destinándose la mitad para ser consumida fresca y el resto para ser envasada.

Una vez que el *Nautilus* renovó su provisión de aire, pensé que nos sumergiríamos, y ya intentaba retirarme a mi camarote cuando el capitán Nemo, que hasta entonces no me había hecho el menor caso, se volvió hacia mí y me dijo:

—¿No cree usted, profesor, que el mar tiene vida real? Ayer se durmió como nosotros, y ahora despierta después de una apacible noche.

Aquel hombre era desconcertante. Ni siquiera me había deseado los buenos días. Un momento antes parecía esquivarme y ahora me hablaba en tono confidencial.

— ¡Qué hermoso sería fundar ciudades submarinas que, como el *Nautilus*, salieran a respirar todas las mañanas a la superficie; ciudades libres sin tiranos que las esclavizasen! Un bello sueño, aunque quizá con el tiempo...

El capitán Nemo interrumpió la frase; me saludó con un gesto, se dirigióó a la escotilla y desapareció por ella.

Estuve varios días sin ver al capitán Nemo. El segundo de a bordo determinaba con regularidad la situación, que encontraba marcada en la carta. De este modo podía seguir con precisión la ruta del *Nautilus*.

Consejo y Land pasaban muchas horas en mi compañía. Gracias a ellos el tiempo no se hacía tan monótono. Consejo había relatado a Ned las maravillas de nuestro paseo submarino, y el canadiense lamentó no habernos acompañado, aunque le quedaba la esperanza de poder hacerlo en otra ocasión.

El 26 de noviembre, a las tres de la madrugada, el *Nautilus* franqueó el trópico de Cáncer. El 27 pasó a la vista de las islas Sandwich, donde Cook encontró la muerte el 14 de febrero de 1779. Habíamos navegado cuatro mil ochocientas sesenta leguas desde el punto de partida.

Por la mañana divisé a dos millas a sotavento la isla de Hawai. Distinguí las diversas montañas y sus volcanes, que domina el Muna-Real, de cinco mil metros de altitud.

El navío se mantuvo rumbo al Sudeste. El 1 de diciembre divisamos el grupo de las islas Marquesas.

Del 4 al 11 de diciembre recorrimos unas dos mil millas. Durante este tiempo encontramos un verdadero banco de calamares. Podíamos contarlos a millones, y a través de los gruesos cristales del mirador los veíamos nadar hacia atrás con gran rapidez. El *Nautilus* navegó durante varias horas entre aquella bandada, y las redes recogieron una gran cantidad.

Durante la jornada del 11 de diciembre, Ned y yo estábamos en la sala de lectura. Yo leía un magnífico libro y mis dos compañeros observaban las aguas luminosas a través de las vidrieras del mirador. De repente Consejo interrumpió mi lectura.

—¿Quiere venir un instante el señor? —me dijo en tono singular.

Me levanté, me situé detrás del cristal y miré.

Contemplé en pleno campo de luz una masa negruzca, inmóvil, que estaba suspendida en medio de las aguas. En un principio creí que era un cetáceo. Pero después me di cuenta de que era un navío.

—Sí, profesor. Es un navío abandonado, que se ha ido a pique —explicó el canadiense.

Desde que el *Nautilus* comenzó a recorrer mares más frecuentados, los naufragios se presentaban más a menudo. Descubrimos con frecuencia los cascos de los navíos que se iban pudriendo entre dos aguas, y a mayor profundidad, sobre el suelo, cañones, cadenas y mil objetos más que el moho iba destruyendo.

El *Nautilus* se dirigió hacia el archipiélago de las Pomotú y luego a la isla Clermont-Tonnerre y entonces pude estudiar de muy cerca el sistema madrepórico a que son debidas las islas del Pacífico. Muy cerca de esta isla admiré la tarea de millones de obreros microscópicos. Aquellas murallas que divisaba era obra exclusiva de las madréporas. Estos pólipos se desarrollan generalmente en la superficie del mar y, por lo tanto, empiezan su labor por la parte superior de las cimentaciones, que van hundiéndose lentamente mezcladas con los restos de las secreciones que las soportan.

Al atardecer, Clermont-Tonnerre se esfumó en la lejanía y el rumbo del *Nautilus* se modificó sensiblemente.

Habíamos navegado ochocientas millas. Luego dio vista al archipiélago de Viti, grupo de islas que fue descubierto por Tasman en 1643, el mismo año en que Torricelli inventó el barómetro y en que Luis XIV ascendió al trono. El *Nautilus* se acercó a la bahía de Wailea, que nos proporcionó una gran cantidad de ostras.

Confieso que las comimos sin limitación. Ned Land no tuvo que arrepentirse de su glotonería, porque la ostra es el único manjar que no provoca indigestión. Se necesitan por lo menos dieciséis docenas para proporcionar los trescientos quince gramos de sustancia azoada, indispensable para la alimentación diaria de una persona.

Dos días después tuve ocasión de ver al capitán Nemo. Le pregunté qué rumbo seguía el *Nautilus* y respondió con una palabra:

—Vanikoro.

Era el nombre de los islotes en que fueron a perderse los barcos de La Pérouse. No pude menos de preguntar, muy sorprendido:

—¿Vamos a Vanikoro?

—Sí, profesor.

—¿Y podré visitar las islas en que se estrellaron la *Boussole* y la *Astrolabe*?

—¿Por qué no?

—¿Falta mucho para llegar?

—Estamos ya en Vanikoro, profesor.

Subí a la plataforma, seguido del capitán Nemo, y mis miradas recorrieron con avidez el horizonte. Tenía ante mí la isla de Vanikoro, a la que Dumont D'Urville puso el nombre de isla de la Exploración.

El *Nautilus* franqueó el cinturón exterior de rocas y se encontró entre las rompientes, donde el mar tenía una profundidad de treinta a cuarenta brazas. Bajo la verde sombra de los paletuvios vimos a una docena de salvajes, que quedaron muy sorprendidos al ver aquella masa que avanzaba a flor de agua. Seguramente debieron de creer que se trataba de un enorme cetáceo.

En aquel momento el capitán Nemo me preguntó qué sabía del naufragio de La Pérouse. Yo le respondí que sabía lo que todo el mundo, y el capitán, con una rara sonrisa, insistió que le contara eso que sabía todo el mundo. Le referí los datos consignados por D'Urville.

—Entonces —me preguntó— ¿se desconoce el paradero de este tercer navío construido por los náufragos en la isla de Vanikoro?

—En absoluto.

El capitán Nemo no me dijo nada más, pero me indicó por señales que le siguiera al gran salón. Una vez allí el capitán me dijo en tono solemne, aunque sin ninguna clase de preámbulo:

—El comandante La Pérouse salió el 7 de diciembre de 1785, con sus naves *Boussole* y *Astrolabe*. Después de tocar en Botany-Bay, en el archipiélago de los Amigos y en Nanunka, llegó a los arrecifes de Vanikoro. Allí encallaron las dos naves. Una quedó destruida de inmediato y la otra embarrancó y resistió varios días. Los indígenas acogieron afectuosamente a los náufragos, y éstos, con el tiempo, construyeron una pequeña embarcación. Con una parte de sus hombres, La Pérouse se dirigió hacia las islas Salomón, donde la nave se perdió con todo su equipo y tripulantes.

—¿Cómo lo sabe usted? —pregunté muy sorprendido.

—Encontré estos documentos en el mismo lugar del naufragio.

El capitán Nemo me mostró una caja de hojalata, sellada con las armas de Francia y corroída por las aguas. Al abrirla, vi un legado de papeles amarillentos, pero legibles todavía. Eran las instrucciones del ministro de Marina al comandante La Pérouse, anotadas marginalmente por la mano de Luis XVI.

— ¡Así murió un valiente marino! —exclamó el capitán Nemo—. No hay tumba más tranquila que el mar, señor Aronnax, y Dios quiera que ella sea la de mis compañeros y la mía.

XVI

ALGUNOS DIAS EN TIERRA

Durante la noche del 27 al 28 de diciembre, el *Nautilus* abandonó Vanikoro a una velocidad prodigiosa. Tomó rumbo hacia el Sudoeste.

Después de haber atravesado el mar de Coral, el 4 de enero divisamos la costa de Paupasia. Entonces el capitán Nemo me indicó su idea de ganar el océano Indico por el estrecho de Torres. Ned Land vio con satisfacción que aquella ruta nos aproximaba a las costas europeas.

El estrecho de Torres es extraordinariamente peligroso, tanto por los muchos escollos como por los numerosos y feroces salvajes que habitan en sus costas. Este estrecho separa Nueva Holanda de la isla de Paupasia, llamada también Nueva Guinea.

El estrecho de Torres tiene unas treinta y cuatro leguas de anchura, pero está obstruido por infinidad de islotes, rompientes y peñascos que hacen casi imposible la navegación. Por ello el capitán Nemo tomó muchas precauciones para cruzarlo.

De pronto me sentí derribado por un choque. A pesar de toda la pericia de la tripulación, el *Nautilus* acababa de embestir un escollo y restó inmóvil, ligeramente escorado a babor.

Vi al capitán Nemo en la plataforma dando órdenes a su segundo. Me acerqué a él y le pregunté:

—¿Un accidente?

—No, señor Aronnax. Sólo un incidente sin importancia.

—Pero un incidente que tal vez le obligue a permanecer en estas tierras que tanto esquiva usted.

El capitán Nemo me miró fijamente como si intentara leer mis pensamientos. Luego me dijo con firmeza:

—Si piensa que el *Nautilus* está perdido, se equivoca, señor. Todavía podrá contemplar a través de él muchas maravillas. Nuestro viaje apenas ha comenzado y yo no quiero privarme del placer de su compañía.

—Sin embargo, el *Nautilus* ha encallado estando en pleamar —le objeté—. Y como las mareas son poco intensas en esta zona del Pacífico, si no deslastra la nave, lo cual me parece imposible, no veo cómo podrá ponerlo a flote.

—En efecto, aquí las mareas son muy débiles, pero en este estrecho hay una diferencia de nivel de metro y medio entre la pleamar y la bajamar. Dentro de cinco días entraremos en plenilunio. Estoy convencido de que el influjo de la Luna elevará estas masas de agua y me prestará un buen servicio. ¿Qué le parece?

Y sin añadir palabra el capitán Nemo me volvió la espalda.

Consejo y Ned vinieron a mi encuentro en cuanto el capitán se hubo ido.

—¿Qué ocurre, señor Aronnax? —preguntó Ned Land.

—Nada, amigo Land. Según dice el capitán, tendremos que esperar a que la marea nos ponga otra vez a flote.

—No lo crea, profesor. Este trasto no volverá a navegar ni por encima ni por debajo de los mares. Creo que ha llegado el momento de pensar en salir de aquí.

—Amigo Ned, tenga usted paciencia. Dentro de cuatro días sabremos si el capitán está o no equivocado. De todos modos, huir podría ser interesante de hallarnos a la vista de las costas de Inglaterra o de Francia, pero en estos parajes de la Paupasia es completamente insensato pensarlo.

—Pero podríamos tantear el terreno, señor —insistió Ned—. Ahí tenemos una isla; en la isla hay árboles y bajo esos árboles, animales terrestres con magníficas chuletas filetes.

—Tiene razón Land —apoyó Consejo—. El señor podría pedir al capitán que nos dejara visitar la isla.

—No creo que consienta —dije.

—Puede intentarlo el señor —insistió Consejo—. No perderemos nada con ello.

—Salvo que el capitán desconfíe de nosotros por creer que pensamos huir, y nos vigile más severamente.

Sin embargo, por condescendencia hacia mis dos compañeros, accedí a su idea y con gran sorpresa mía el capitán no opuso el menor reparo y hasta puso el bote a nuestra disposición.

A las ocho y media el bote del *Nautilus* encallaba suavemente en una arenosa playa, después de haber franqueado felizmente el anillo de coral que rodeaba la isla de Gueboroar.

Confieso que me sentí muy emocionado de pisar tierra. Ned Land se arrojó al suelo con verdadero júbilo; Consejo no disimulaba su alegría. Hacía dos meses que permanecíamos en el submarino sin pisar tierra.

En pocos minutos nos alejamos de la costa. El terreno era exclusivamente madrepórico, pero el lecho de algunos torrentes ya secos y restos graníticos, atestiguaban la formación de la isla. El horizonte quedaba oculto por una frondosidad exuberante. Enormes árboles, algunos de hasta sesenta metros, aparecían unidos entre sí por guirnaldas de lianas, verdaderas hamacas naturales. Pronto nos internamos en la selva. Ned Land divisó un cocotero, derribó algunos de sus frutos, los partió y nos bebimos su leche y comimos su pulpa con una glotonería que dejaba en muy mal lugar la mesa del *Nautilus*. Acordamos llevar una buena provisión. Ibamos de sorpresa en sorpresa. Pronto descubrimos un árbol de pan, luego uno de plátanos. Aquella excursión nos iba a deparar la oportunidad de saborear alimentos que hacía mucho tiempo no habíamos probado.

Continuamos nuestra excursión, pero manteniéndonos bien alertas, porque la isla, al parecer deshabitada, encerraba algunos antropófagos.

Finalmente, a las cinco de la tarde, cargados con todas nuestras provisiones, abandonamos la costa de la isla y media hora después atracábamos al costado del submarino.

XVII

EL REINO DEL CORAL

Tal como había previsto el capitán Nemo, la pleamar dejó libre el *Nautilus*, y el día 10 de enero pudo continuar su singladura. Era tal la rapidez de la hélice que me era imposible contar el número de revoluciones. Marchábamos en dirección Oeste y el 11 de enero doblamos el cabo Wessel. El 13 de enero llegamos al mar de Timor, avistando la isla del mismo nombre. Esta isla se encuentra gobernada por rajáes. Dichos príncipes se titulan descendientes de los cocodrilos, y así, los espantosos saurios pululan en las riberas de la isla, siendo objeto de veneración.

El 18 el tiempo era amenazador y el mar parecía duro y agitado. Subí a cubierta. Ahí estaba el capitán Nemo escrutando el horizonte. Cambiaba algunas palabras con el segundo, el cual parecía presa de una emoción que a duras penas podía contener. Intrigado, bajé al salón para proveerme de un catalejo, y una vez en cubierta traté de mirar, cuando me fue arrebatado de las manos... por el propio capitán. Me volví sorprendido y apenas pude reconocerlo, pues sus facciones estaban completamente transfiguradas. Sus pupilas despedían un fulgor siniestro, las cejas mostraban un duro ceño, los labios, contraídos, dejaban ver la dentadura; su cuerpo rígido, su cabeza levantada sobre los hombros, denotaban la ira reconcentrada que emanaba de toda su persona.

—Señor Aronnax —me dijo en tono imperioso—, he de reclamarle el cumplimiento de uno de los compromisos que tiene contraídos conmigo.

—No sé a qué se refiere, capitán —repliqué.

—Es preciso que permanezca encerrado, así como sus compañeros, hasta el momento en que juzgue conveniente devolverles la libertad.

Bajé al camarote que ocupaban Ned y Consejo y les expliqué lo sucedido. Al cabo de unos quince minutos cuatro tripulantes esperaban a la puerta para cumplimentar las órdenes del capitán Nemo. No opusimos resistencia y fuimos conducidos a la misma celda en que pasamos la primera noche a bordo del *Nautilus*.

Ned Land estaba furioso, en tanto que Consejo, como en él era habitual, se lo tomaba con calma. De todas formas, Ned se aplacó un tanto cuando nos sirvieron el almuerzo. Por lo menos no íbamos a morir de hambre.

En el mismo instante en que terminamos de comer, se apagó el globo luminoso y quedamos a oscuras. Pero lo más extraño fue que Ned Land no tardó en dormirse, sin haber iniciado la más leve protesta, y que Consejo cayó también en un pesado sopor. Cuando estaba pensando qué habría podido provocar en ambos aquellas ganas de dormir, noté que invadía mi cerebro un invencible letargo. Mis ojos se cerraron a pesar mío y experimenté al mismo tiempo una dolorosa sensación. Era obvio que habían mezclado algún narcótico en los alimentos que acabábamos de ingerir. Intenté resistir el sueño pero me fue imposible. Quedé postrado en un completo anonadamiento.

Al día siguiente desperté completamente despejado. Pero mi sorpresa fue grande al darme cuenta de que no estaba en la celda, sino en mi camarote. Salí de la habitación y me dirigí hacia la plataforma. Allí estaban Ned Land y Consejo. También ellos habían sido devueltos a sus camarotes. Les pregunté si sabían algo, pero me contestaron negativamente.

Estuvimos un rato escrutando el mar. Estaba desierto, tranquilo y misterioso como siempre.

No vimos al capitán Nemo ni a las gentes de a bordo,

exceptuando al impasible camarero, que nos sirvió las comidas con su exactitud y mutismo habituales.

Cerca de las dos estaba yo en el salón, ocupado en ordenar mis notas cuando se abrió la puerta y apareció el capitán. Le saludé y me correspondió con una leve inclinación de cabeza. Iba yo a proseguir mi trabajo cuando el capitán Nemo me preguntó:

—¿Es usted médico, señor Aronnax?

—En efecto, soy doctor en Medicina, y ejercí mi profesión, durante algunos años, antes de ingresar en el Museo.

—¿Podría prestar asistencia a uno de mis tripulantes? —me interrogó el capitán.

—Estoy dispuesto.

—Gracias, profesor.

El capitán Nemo me condujo a la popa del *Nautilus* y me introdujo en un camarote contiguo al dormitorio de los marineros. Allí, sobre una cama, reposaba un hombre de unos cuarenta años, de rostro enérgico, verdadero tipo anglosajón.

Me incliné sobre él. Comprendí en el acto que no se trataba de un enfermo, sino de un herido. Su cabeza estaba envuelta en telas ensangrentadas. Levanté la cura y observé la herida. Era horrible. El herido respiraba con mucha fatiga. Las pulsaciones eran débiles e intermitentes y las extremidades se iban enfriando. Presentí que aquel hombre estaba a las puertas de la muerte. Vendé nuevamente su cabeza y pregunté al capitán Nemo:

—¿Cómo se ha producido esta herida?

—¡Qué importa eso! —contestó evasivamente el capitán—. Un choque ha roto una de las palancas de la máquina y ha alcanzado a ese infeliz... Pero, ¿qué opina usted respecto a su estado?

No me atrevía a dar una respuesta tajante. El capitán se dio cuenta de mi titubeo y me dijo:

—No se preocupe. No entiende el francés.

—Sólo tiene dos horas de vida —contesté.

—Entonces, ¿no hay ninguna esperanza? —preguntó el capitán.

—Ninguna.

La mano del capitán Nemo se crispó y brotaron algunas lágrimas de sus ojos, que yo consideraba incapaces de llorar.

Al día siguiente, por la mañana, subí a cubierta. Allí estaba el capitán Nemo, impasible como siempre, sin recordar para nada al hombre de la noche anterior. En cuanto advirtió mi presencia se acercó a mí y me dijo:

—¿Les agradaría realizar hoy una excursión submarina, señor doctor?

Las palabras "señor doctor" eran la única alusión a lo ocurrido la víspera. Contesté con cierta displicencia:

—¿Pueden acompañarme mis amigos?

—Si ellos quieren, no hay inconveniente.

—Acepto encantado, capitán.

—Pues tengan la bondad de ir a ponerse las escafandras.

Nada me decía del moribundo y yo tampoco quise preguntarle nada. Me estaba habituando a su carácter adusto. Fui en busca de Ned y de Consejo a quienes conté la invitación del capitán. El canadiense esta vez aceptó satisfecho y sin oponer reparos.

Eran las ocho de la mañana. Media hora después estábamos ya vestidos para el paseo y provistos de los aparatos de alumbrado y respiración. El capitán Nemo, nosotros tres y una docena de marineros tomamos pie a una profundidad de diez metros sobre el terreno en que se asentaba el *Nautilus*.

Los aparatos Ruhmkorff entraron en acción y seguimos por un banco de coral. El capitán Nemo iba delante indicando el camino que debíamos seguir.

Al cabo de dos horas de marcha el capitán Nemo se detuvo. Todos hicimos lo mismo. Entonces me di cuenta de que los marineros formaban un semicírculo alrededor de su jefe. Mirando con más atención observé que cuatro de ellos llevaban a hombros un bulto de forma oblonga.

A una señal del capitán Nemo avanzó uno de sus subordinados, que empezó a cavar un hoyo a pocos pasos de una cruz de coral, situada en el centro de una plazoleta. Entonces lo comprendí todo. Aquella plazoleta era un cementerio; aquel hoyo, una tumba; y el bulto de forma oblonga, el hombre muerto la víspera. Los tripulantes del *Nautilus* iban a enterrar a su compañero en aquella morada común en el inaccesible fondo del mar. ¡Un entierro submarino! La tumba se fue abriendo lentamente mientras el capitán Nemo, con los brazos cruzados sobre el pecho, y todos los marineros, se arrodillaban en actitud de orar. Ned Land, Consejo y yo permanecimos fervorosamente inclinados. El cadáver descendió a su inundada fosa, que quedó cubierta luego con los propios materiales extraídos, que formaron una pequeña eminencia.

Una vez realizada la operación, el capitán Nemo y sus hombres se incorporaron. Se aproximaron a la tumba, doblaron de nuevo la rodilla y extendieron el brazo en señal de última despedida.

La fúnebre comitiva emprendió el regreso al *Nautilus*. Una vez en el interior del navío, y despojados de las escafandras, pregunté al capitán Nemo:

—¿De modo que el marinero murió durante la noche, según suponía?

—Sí, señor Aronnax —contestó el capitán, que ocultó el rostro entre sus crispadas manos y no pudo reprimir un sollozo. Yo me sentí conmovido ante el dolor de aquel hombre, que había roto con la civilización, pero que seguía teniendo sus sentimientos humanos.

—Participo de su dolor, capitán. Pero le servirá de consuelo saber que sus muertos duermen tranquilos fuera del alcance de los tiburones.

—Sí, señor —contestó el capitán Nemo—; de los tiburones y también de los hombres.

XVIII

EL MAR EN LAS INDIAS

Durante algunos días vimos gran cantidad de aves acuáticas, palmípedas y gaviotas, que fueron cazadas, y aliñadas nos proporcionaron un plato aceptable. Por su parte, las redes del submarino aportaron varias clases de tortugas marinas, del género carey, combadas de dorso y cuya concha es muy estimada.

En la mañana del 24 pasamos por la isla Keeling y a partir de aquí la marcha fue muy lenta, aunque caprichosa, arrastrándonos en ocasiones a grandes profundidades. Penetramos hasta dos o tres kilómetros, pero sin verificar los grandes fondos del mar Indico, no alcanzados por sondas de trece kilómetros.

El 26 de enero cortamos el Ecuador por el meridiano 82, y entramos en el hemisferio boreal. Durante todo el día fuimos escoltados por una formidable manada de escualos. Hubo momentos en que estos animales se precipitaron contra los miradores del salón con violencia poco tranquilizante. Ned Land quería subir a la superficie y arponear aquellos monstruos. Conseguí disuadirle de su obsesión, aunque creo que lo que más influyó fue que el *Nautilus* aumentó la velocidad y dejó pronto rezagados a los tiburones.

Hacia las siete de la tarde el *Nautilus* navegó en un mar lácteo. Hasta donde alcanzaba la vista, el océano parecía estar lactificado.

El espectáculo era maravilloso y Consejo me interrogó acerca de las causas del singular fenómeno.

—Es un mar lácteo —expliqué—; una vasta extensión de oleadas blancas que se observa con frecuencia en las costas de Amboina y en estos parajes.

—¿Y a qué se debe este fenómeno? —preguntó Consejo.

—Esta blancura se debe a la presencia de millones de animales infusorios, especie de gusanillos luminosos, de aspecto gelatinoso e incoloro, del grueso de un cabello, y cuya longitud no excede de un quinto de milímetro.

Durante varias horas el *Nautilus* hendió su espolón por aquellas ondas blanquecinas.

Al día siguiente me encontraba en el salón haciendo unas anotaciones, cuando entró el capitán Nemo acompañado de su segundo. Sin preámbulos me preguntó:

—¿Le gustaría hacer una visita a las pesquerías de perlas de la isla de Ceilán?

—Sin duda, capitán —le repliqué.

—Pues daré orden de poner rumbo al golfo de Manaar. Pero tenga en cuenta que sólo veremos las pesquerías y no a los pescadores, porque aún no ha empezado la temporada de búsqueda. Iremos armados y tal vez podamos cazar un tiburón en nuestro camino. Es una caza interesante.

El capitán dio unas órdenes a su segundo, que se retiró a cumplimentarlas.

—Las perlas se pescan en diferentes partes del mundo —me explicó el capitán—, en el golfo de Bengala, en el mar de las Indias, en los mares de China y Japón, y en muchos otros mares, pero en Ceilán es donde la pesca rinde mayores beneficios. Los pescadores se reúnen en el golfo de Manaar en el mes de marzo, y se dedican a esa lucrativa explotación. Cada embarcación va tripulada por diez remeros y diez pescadores, divididos en dos grupos, que se sumergen alternativamente y descienden a una profundidad de doce metros, con una pesada piedra que atan a sus pies, y una cuerda que les une a la embarcación.

—¿Todavía utilizan este antiguo procedimiento? —exclamé, sorprendido.

—Sí, profesor. Todavía, a pesar de que esas pesquerías pertenecen al pueblo más adelantado del mundo, a los ingleses. A propósito, señor Aronnax —dijo el capitán, desviando la conversación—, ¿le asustan los tiburones?

—Le confesaré, capitán, que no estoy muy familiarizado con ellos. No sabría qué decirle.

—Nosotros ya estamos habituados —replicó el capitán—, y con el tiempo le ocurrirá a usted lo mismo. En esta visita a las pesquerías iremos armados por si acaso tenemos que enfrentarnos a algún escualo. Hasta mañana, profesor.

Y dicho esto el capitán Nemo abandonó el salón. No me disgustaba acompañar al capitán en aquella visita, aunque pudiéramos encontrar escualos, si bien temía que mis compañeros no fuesen de mi opinión. Era una visita arriesgada. Al poco rato entraron Consejo y Ned Land.

—Señor Aronnax —comenzó diciendo el arponero—, el capitán Nemo acaba de invitarnos a visitar mañana las pesquerías de Ceilán. Supongo que usted estará ya enterado.

—¿Y no les ha dado ningún detalle más? —pregunté.

—No, sólo que nos preparemos bien temprano —explicó Consejo.

—Será una excursión muy interesante... —dijo Ned Land, cuya curiosidad se había excitado.

—Y peligrosa tal vez —insinué.

—¿Peligrosa? —replicó el canadiense—. ¡Una excursión a un barco de madreperlas!

—Todas las cosas tienen su peligro, amigo Land —dije—; y a propósito, ¿le gustan los tiburones?

—¿A mí? —contestó el canadiense—. ¿A un arponero profesional? Tenga en cuenta, señor, que mi misión es burlarme de ellos.

—No se trata de capturarlos con anzuelo...

—Quiere decir que se trata de...

—En el agua, durante la excursión... Podemos tropezar con algún escualo y...

— ¡Qué diantre! ¡Con un buen arpón! —exclamó Ned Land.

—Y tú, Consejo, ¿qué piensas de los escualos?

—Pues que si el señor afronta los tiburones —declaró Consejo—, no hay razón para que su criado no afronte los mismos riesgos.

XIX

EL CAPITAN NEMO FRENTE AL TIBURON

Aquella noche dormí bastante mal. Los tiburones representaron un papel muy importante en mis sueños.

A las cuatro de la mañana me despertó el camarero, que el capitán Nemo había puesto especialmente para mi servicio. Debíamos embarcar en la canoa, en donde iban los trajes de buzo. Estaban también Ned Land y Consejo.

Cinco marineros del *Nautilus* ocupaban sus puestos en la canoa. Aún era de noche. El capitán Nemo, Consejo, Ned Land y yo nos colocamos a la popa de la canoa, el timonel ocupó su puesto, sus cuatro compañeros tomaron los remos y nos dirigimos hacia el Sur.

A las seis aclaró. Llegamos por fin a una pequeña bahía, bien dispuesta para aquella clase de pesca. Era la isla de Manaar.

El lugar estaba resguardado de los más furiosos temporales, puesto que sus aguas no se encrespaban nunca, circunstancia que favorecía la tarea de los buceadores. Comenzamos a prepararnos para el paseo. Poco después teníamos puestas las escafandras y los depósitos de oxígeno. Los marineros permanecieron en la canoa esperando nuestro regreso.

Antes de ponerme la armadura metálica en la cabeza, pregunté al capitán Nemo:

—¿No llevamos armas?

—No necesitamos para nada las escopetas —respondió el capitán—. Aquí tiene un cuchillo de magnífico temple. Cíñalo a su cintura y vámonos

Miré a mis compañeros. Llevaban el mismo armamento, y además Ned Land blandía un enorme arpón. Poco después los marineros nos desembarcaron y tomamos pie, a metro y medio de la superficie, en un terreno arenoso. El capitán nos hizo una señal con la mano, le seguimos y fuimos descendiendo por una suave pendiente.

Pronto nuestros pies hollaron el fondo de una especie de pozo circular. Allí el capitán Nemo se detuvo y nos indicó con un ademán una concha de extraordinarias dimensiones. Me acerqué al fenomenal molusco al que le calculé un peso de trescientos kilos. Semejante ostra podría contener unos quince kilos de carne. Las dos valvas del molusco estaban abiertas y el capitán Nemo introdujo su cuchillo para impedir que se cerraran. Después, con la mano, levantó la túnica membranosa que formaba la vestidura del animal. Allí, entre los pliegues, vi una perla cuyo tamaño igualaba al de la nuez del cocotero. Era una joya de inestimable valor, y no pude resistir la tentación de alargar la mano para cogerla; pero el capitán Nemo me detuvo, hizo un signo negativo y, retirando su cuchillo, dejó que las dos valvas se cerraran súbitamente.

Comprendí entonces que el capitán Nemo quería dejar que la perla madurara, pues cada año la secreción del molusco le añadiría nuevas capas concéntricas. Sólo el capitán debía de conocer aquella gruta, sólo él debía de cultivar el molusco, a fin de transportar algún día su fruto al museo del *Nautilus*.

Continuamos la marcha hasta que de pronto el capitán Nemo se detuvo y nos indicó con la mano que le imitáramos. A cinco metros de mí apareció una sombra, que descendía hasta el suelo. Era un hombre, un indio, un pescador, un pobre infeliz que se sumergía y se remontaba sucesivamente. Una piedra le servía para descender con rapidez. Llegado al suelo se arrodillaba presuroso y llenaba un saquito de pintadinas recogidas al azar. Luego remontaba, vaciaba el saquito, preparaba de nuevo la piedra y re-

petía la operación, que no duraba más allá de treinta segundos. El hombre no podía vernos, porque la sombra
de la roca nos ocultaba a sus miradas. De pronto, el indio hizo un gesto de pavor, se incorporó y se abalanzó a
la cuerda para remontarse a la superficie. Comprendí su
espanto. Una enorme sombra se cernía sobre el desventurado. Era un tiburón de gran tamaño que avanzaba con las
fauces abiertas. Quedé mudo de espanto. El escualo iba
ya a devorar al infortunado, cuando el capitán Nemo,
empuñando el cuchillo, se dispuso a luchar cuerpo a cuerpo con el monstruo. El escualo, al ver a su nuevo adversario, se preparó para la embestida. El capitán Nemo, re-
plegado sobre sí mismo, esperó impávido al tiburón y en
el momento de la acometida esquivó el golpe y hundió, a
su vez, el cuchillo en el vientre del animal. La sangre del
tiburón empezó a manar a borbotones, mientras el monstruo agitaba con furia las aguas y sus remolinos amenaza-
ban con tirarme al suelo. Hubiera deseado correr en ayuda
del capitán, pero paralizado de horror, no podía moverme.

El capitán cayó al suelo, alcanzado por un culatazo del
escualo. Las fauces del animal se abrieron desmesurada-
mente, y de seguro hubiera acabado con el capitán si Ned
Land no se hubiera interpuesto, hiriendo al escualo con
su arpón. Alcanzado en el corazón, éste se debatió en espantosos espasmos.

Ned Land ayudó al capitán a incorporarse y éste, sin
lesión alguna, se fue directamente al indio, cortó la cuerda
que le ligaba a la piedra, le tomó en brazos y de un vigoro-
so talonazo remontó a la superficie. Le seguimos y en pocos instantes nos encontramos en la embarcación del pescador, de tal modo salvado.

Gracias a las fricciones de Consejo y del capitán el in-
dígena fue recobrando el conocimiento y abrió los ojos.
Su terror fue grande al ver las cuatro cabezotas de bronce inclinadas sobre él. El capitán Nemo sacó del bolsillo
de su escafandra un saquito y se lo entregó al indio. De-

duje que habría dentro algunas perlas que el capitán había recogido durante la excursión. El asombro del indio dio paso a exclamaciones de alegría al darse cuenta de la fortuna que le caía en las manos.

A una señal del capitán retornamos al banco de pintadinas y, deshaciendo el camino, a la media hora de marcha encontramos el ancla que retenía la canoa del *Nautilus*. Una vez arriba, con ayuda de los marineros nos despojamos de la pesada indumentaria.

Las primeras palabras del capitán Nemo fueron para el canadiense.

—Gracias, amigo Land. Me ha salvado usted la vida.

El arponero no contestó. Su respuesta se limitó a una esbozada sonrisa que vagó por sus labios.

— ¡Al *Nautilus*! —ordenó el capitán.

A las ocho y media estábamos de regreso a bordo. Yo seguía pensando en la audacia del capitán Nemo y en su abnegación por salvar la vida de un ser humano, representante de aquella raza que tanto rehuía. Por más que lo aparentara, aquel hombre singular no había logrado aún matar por completo sus sentimientos humanitarios.

XX

EL MAR ROJO

El *Nautilus* navegaba rumbo Noreste. Nos dirigíamos hacia el mar de Omán, abierto entre Arabia y la península Indica.

Durante cuatro días, hasta el 3 de febrero, la nave recorrió el mar de Omán, aunque nunca rebasó el trópico de Cáncer.

El *Nautilus* navegó hasta el mar Rojo. Allí, entre las aguas de cristalina nitidez, a través de las abiertas claraboyas, contemplamos admirables espesuras de brillantes corales y vastos lienzos rocosos, revestidos de una espléndida y verde alfombra de algas y fucos.

Al mediodía hallé al capitán en la plataforma del submarino. Me ofreció un cigarro y me dijo:

—¿Qué tal, profesor? ¿Le gusta el mar Rojo? ¿Ha podido contemplar sus maravillas?

—Sí, capitán. He visto muchas cosas, todas muy instructivas para mí. Pero, ¿no teme las terribles tormentas de este mar, ni sus corrientes, ni sus escollos?

—No temo nada en absoluto a bordo del *Nautilus*. Es cierto que los historiadores latinos y griegos hablaron muy mal de este mar. Antes los naufragios eran y habían de ser frecuentes...

—¿Podría decirme, capitán —le pregunté— a qué se debe la coloración de este mar? ¿Quizá a la presencia de un alga microscópica?

—Sí, es una materia mucilaginosa, purpurada, producida por esas plantas llamadas "tricodesmias", de las que se precisan cuarenta mil para ocupar el espacio de un milímetro cúbico.

—Debo suponer que no es la primera vez que recorre el mar Rojo.

—Supone bien, profesor.

—Y dígame, capitán: ciñéndonos al paso de los israelitas y la catástrofe de los egipcios, ¿no ha descubierto usted bajo las aguas las huellas de aquel gran acontecimiento histórico? ¿No ha recogido ni un solo vestigio?

—No, profesor, y fácilmente lo comprenderá. Hoy hay acumulada tal cantidad de arena en el sitio por donde pasó Moisés con su pueblo, que apenas cubren las aguas las patas de los camellos. Por tanto, no hay fondo suficiente para el *Nautilus*. Si se hiciesen excavaciones en esas arenas, no dudo que pondrían al descubierto gran cantidad de armas e instrumentos egipcios.

—Es de esperar que se hagan estas excavaciones —dije—, cuando se establezcan ciudades en este istmo, después de la apertura del canal de Suez.

—Canal bien inútil, por cierto, para el *Nautilus*.

—Pero útil al mundo entero —repliqué.

—No quiero discutir con usted, profesor. Por desgracia, no puedo conducirle a través del canal, pero podrá usted ver las escolleras de Port-Said pasado mañana, cuando estemos en el Mediterráneo.

—¿En el Mediterráneo? —exclamé—. Mucha deberá ser la velocidad que imprima al *Nautilus* si ha de estar pasado mañana en el Mediterráneo, después de dar la vuelta al Africa y doblar el cabo de Buena Esperanza.

—¿Y quién le ha dicho que voy a dar la vuelta a Africa? Hace tiempo que la Naturaleza realizó bajo tierra la tarea que hoy ejecutan los hombres en la superficie.

—Entonces, ¿existe un paso?

—Sí, un paso subterráneo al que yo llamo "Túnel de Arabia". Se abre al pie de Suez y va a dar al golfo de Pelusa.

Cuando comuniqué a mis compañeros las palabras del capitán, Ned Land y Consejo se resistían a creerlo. Al decirles que dentro de dos días estaríamos en el Mediterráneo, Consejo mostró su alegría; en cambio, Ned Land se mostraba incrédulo.

— ¡Un túnel submarino! ¡Una comunicación entre dos mares! ¿Quién puede creer eso?

—Amigo Ned —objetó Consejo—, ¿había oído usted hablar alguna vez del *Nautilus*? ¡No! Y sin embargo, existe. No se haga el sordo, pues, y no rechace las cosas sólo porque no ha oído hablar de ellas.

Por la tarde, el *Nautilus*, flotando en la superficie, se aproximó a la costa árabe. Pude divisar Djeddah y distinguir con bastante claridad el conjunto de sus construcciones, los buques amarrados a los muelles, y algunos otros, a quienes su excesivo calado obligaba a fondear en la rada. En los alrededores de las casas blancas, relucientes bajo el sol, algunas cabañas de tosca construcción señalaban el barrio habitado por los beduinos.

Al día siguiente aparecieron varios buques en el horizonte, y el *Nautilus* continuó su navegación bajo las aguas. Pero al mediodía el mar estaba desierto y el buque subió a la superficie.

Acompañado de Ned y de Consejo, fui a sentarme en la cubierta. La costa oriental se mostraba como una masa apenas difuminada en húmeda neblina.

De pronto, Ned Land tendió un brazo hacia un punto en el mar, indicando:

—¿No ve usted algo allí, señor Aronnax?

En efecto, aunque no muy claramente, distinguí un objeto negruzco a sólo una milla de distancia.

—¿Hay ballenas en el mar Rojo? —inquirió Consejo.

—Eso no es una ballena —replicó Ned, que no perdía de vista el objeto señalado.

—Esperemos —dijo Consejo—. Vamos hacia allí y bien pronto saldremos de dudas.

— ¡Mire, profesor! —exclamó Ned Land—. ¡Avanza!
¡Se sumerge...! ¡Voto al diablo! ¿Qué animal puede ser
ése? No tiene la cola bifurcada como las ballenas o los
cachalotes, y sus aletas parecen miembros truncados.

—Es una sirena —aventuró Consejo—; una verdadera
sirena, salvo la mejor opinión del señor.

—No, no es una sirena —dije a Consejo—, sino un curioso animal, del que apenas quedan algunos ejemplares en el
mar Rojo: es un dugongo.

—Señor Aronnax —me dijo Ned Land, con voz que
temblaba de emoción—, nunca he matado nada semejante.

Y puso toda su alma en la frase.

En aquel momento apareció el capitán Nemo en la
plataforma. Al ver el dugongo comprendió la actitud del
canadiense, y dirigiéndose a él le preguntó:

— ¿Le gustaría hacer un poco de ejercicio?

—Ha acertado, mi capitán.

—Pues bien, puede usted intentarlo.

— ¡Gracias, mi capitán! —contestó Ned Land, cuyas pupilas centellearon.

—Pero le advierto —dijo el capitán— que procure no
fallar el golpe.

— ¿Es que es peligrosa su captura? —pregunté a mi vez.

—A veces —explicó el capitán—, el animal ataca a sus
acosadores y hace zozobrar su embarcación. Pero, tratán-
dose de un hombre tan experto como Land, no es de temer
que tal cosa ocurra. Si le recomiendo buena puntería es
porque el dugongo está considerado con justicia como un
exquisito manjar, y sé que al intrépido Land le gustan las
buenas tajadas. Así, pues, espero que lo aprese, amigo mío.

Inmediatamente subieron a la plataforma siete hombres de la tripulación, mudos e impasibles como siempre.
Uno de ellos llevaba un arpón y un sedal, análogos a los
que usan los pescadores de ballenas. La canoa fue pronto
lanzada al mar. Seis remeros ocuparon sus asientos y el
patrón se puso a la barra. Nosotros lo hicimos a popa.

Al llegar a unos cuantos cables del cetáceo acortamos la marcha y los remos se sumergieron cadenciosamente en las tranquilas aguas. Ned Land, con el arpón preparado, fue a situarse a proa. La cuerda del arpón no medía más de unas diez brazas y su extremo iba sujeto a un barrilillo que, manteniéndose a flote, indicaría la marcha del dugongo bajo las aguas.

Yo me puse de pie y examiné con atención a aquel animal, conocido también vulgarmente por vaca marina, muy parecido al manatí. Su cuerpo oblongo remataba en una cola muy prolongada, y sus aletas laterales, en verdaderos dedos. Su mandíbula estaba provista de dos colmillos largos y puntiagudos.

El ejemplar que teníamos a la vista mediría unos siete metros. No se movía y parecía dormir sobre las olas.

La canoa se situó a tres brazas del animal. Los remeros permanecieron quietos. Yo me incliné un poco para ver mejor. Ned Land, con el cuerpo hacia atrás, blandió el arpón.

De pronto cruzó el espacio un silbido y el dugongo desapareció. El arpón lanzado con fuerza sin duda había caído en el mar.

— ¡Voto a mil legiones de demonios! —exclamó furioso el canadiense—. ¡He fallado el golpe!

—No —le calmé—. El animal está herido; mire usted su sangre; pero el arma no se ha clavado en su cuerpo.

— ¡El arpón! ¡El arpón! —gritó Ned Land.

Los marineros remaron de nuevo y el patrón dirigió la canoa hacia el barril flotador. Recuperado el arpón, emprendimos la persecución del animal.

Este salía de vez en cuando a la superficie para respirar. Su herida no le había debilitado, pues huía con gran rapidez. Se le acosó durante una hora, y ya empezaba a convencerme de que sería difícil capturarle, cuando al cetáceo se le ocurrió la idea de vengarse. Hizo frente a la canoa para atacarla a su vez.

La maniobra no pasó inadvertida al canadiense, que en el acto empuñó el arpón.

El dugongo, al llegar cerca de la canoa, se detuvo, aspiró aire y, adquiriendo impulso, se precipitó sobre la canoa, que fue impotente para esquivar el choque; medio volcada, embarcó mucha agua, que fue preciso achicar; pero gracias a la pericia del patrón no zozobró. Ned, aferrado fuertemente con una mano a la roda, acribillaba a arponazos al animal, que con sus dientes incrustados en la borda zarandeaba y levantaba la embarcación.

Por fin el canadiense logró alcanzar al dugongo en el corazón, que desapareció bajo las olas. Poco después el barril volvió a la superficie y con él el cuerpo del cetáceo. La canoa lo recogió y, remolcándolo, se dirigió al submarino.

Para izar el gigantesco animal a bordo fue necesario utilizar las cabrias de gran resistencia. Pesaba nada menos que cinco toneladas. Se le despedazó a la vista del canadiense, que no quiso perder el menor detalle de la operación. Aquel mismo día me fue servido en la comida unas lonjas de aquella carne, muy bien condimentada y aderezada por el cocinero de a bordo. La encontré francamente exquisita e incluso superior a la de ternera.

El *Nautilus* penetró en el estrecho de Subal. Pude distinguir con claridad una elevada montaña que dominaba el Ras-Mohamed; era el Sinaí en cuya cima Dios se apareció a Moisés.

A las seis, el *Nautilus* pasó frente a Tor, situado en el fondo de una bahía, cuyas aguas parecían teñidas de rojo.

De ocho a nueve la nave submarina permaneció sumergida. Según mi cálculo debíamos hallarnos muy cerca de Suez.

A las nueve y cuarto el navío volvió a la superficie. Subí a la plataforma, impaciente por franquear el túnel dicho por el capitán Nemo. Además, estaba deseando respirar aire fresco.

Al cabo de un rato brillaron en las tinieblas unos pálidos fulgores. Era el faro flotante de Suez. Según el capitán, no tardaríamos en llegar a la boca del túnel. Como la entrada era difícil, él se trasladó a la cabina del timonel para dirigir personalmente la maniobra.

Unos conductores eléctricos ponían en comunicación la vitrina del timonel con la sala de máquinas y, desde la primera, el capitán podía transmitir sus órdenes respecto a la dirección, rumbo y movimiento de la nave. Oprimió un botón de metal y, en el acto, comenzaron a disminuir gradualmente las rotaciones de la hélice.

Ante nosotros se abría una profunda galería, en la que el submarino se internó audazmente. Así como antes y durante una hora pude contemplar la escarpadísima muralla que bordeábamos, ahora sólo vi en los murallones del paso rayas brillantes, líneas rectas, surcos de fuego trazados por la rapidez del foco eléctrico.

A las diez y treinta y cinco el capitán Nemo abandonó la rueda del gobernalle y se volvió hacia mí para decirme:

—El Mediterráneo.

En menos de veinte minutos el *Nautilus* había franqueado el istmo de Suez.

XXI

EL ARCHIPIELAGO GRIEGO

El 12 de febrero, por la mañana, el *Nautilus* ascendió a la superficie. En el acto subí a cubierta. Tres millas al sur se dibujaba la silueta de Pelusa. Un torrente nos había transportado de un mar a otro, pero aquel túnel, fácil en el descenso, debía de ser impracticable en sentido inverso.

Ned Land y Consejo no podían creer que estábamos en el Mediterráneo; y que durante la noche, en unos cuantos minutos, hubiéramos atravesado aquel istmo al parecer infranqueable. Cuando se convencieron de que, en efecto, era así, que podíamos divisar la costa egipcia y las escolleras de Port-Said, el canadiense me propuso de nuevo abandonar el submarino.

—Estamos en Europa —alegó Ned Land—, y antes de que los caprichos del capitán Nemo nos lleven hasta el Polo Norte o nos vuelvan a Oceanía, les pido que huyamos del *Nautilus*.

He de confesar que este tema me cohibía siempre. No quería menguar la libertad de mis compañeros y, por otra parte, no experimentaba el menor deseo de separarme del capitán Nemo. Gracias a él, gracias al submarino, iba completando día a día mis observaciones y perfeccionando un libro relativo a las profundidades marinas en su propio elemento. ¿Encontraría jamás otra ocasión semejante para observar las maravillas de los mares? Por tanto, no estaba de acuerdo con la idea de abandonar el *Nautilus*.

Así se lo dije a Ned Land, que permaneció silencioso

unos momentos, aunque era bien visible por sus gestos que no estaba de acuerdo con mi decisión. Por fin, acepté su plan de huida si la ocasión se mostraba favorable.

Por la tarde me encontré a solas con el capitán Nemo en el salón. Me pareció taciturno, como preocupado. Después ordenó abrir las claraboyas del salón, yendo de una a otra y observando con atención la masa de las aguas. ¿Para qué? No podía adivinarlo, y decidí dedicarme al examen de los peces que cruzaban ante mi vista.

Mis miradas estaban fijas en aquellas maravillas del mar cuando, de súbito, vi una aparición inesperada.

Entre las aguas surgió un hombre que buceaba y de cuya cintura pendía una bolsa de cuero.

Me volví hacia el capitán Nemo y exclamé:

— ¡Un hombre! ¡Un náufrago!... ¡Hay que salvarle!

El capitán, sin hacerme caso, se acercó a la claraboya y apoyó una mano en el cristal. A su vez, el nadador se aproximó tanto al *Nautilus* que casi pegó el rostro al vidrio.

Con gran estupor vi que el capitán le hizo una señal. El buceador le respondió con la mano, se remontó a la superficie y desapareció.

—No tema usted —me dijo el capitán—. Ese hombre es Nicolás, del cabo Matapán, muy conocido en todas las Cícladas. Un buzo de los más valientes...

Y sin decir más, el capitán Nemo se dirigió a un mueble, colocado cerca del lienzo izquierdo del salón. Junto al mueble vi un arcón reforzado con abrazadera de hierro, cuya tapa ostentaba la cifra del *Nautilus*, con su divisa: "Móvil en el elemento móvil".

El capitán, sin preocuparse de mi presencia, abrió el mueble que contenía un gran número de lingotes de oro.

¿Dónde habría recogido el capitán aquel oro y qué iba a hacer con él?

El capitán fue tomando los lingotes y colocándolos en el arcón. Una vez éste lleno, Nemo escribió en su tapa una dirección en unos caracteres que debían ser de escritura griega moderna.

El capitán oprimió un timbre, cuyos hilos comunicaban con el departamento de los marineros. En seguida acudieron cuatro hombres que sacaron el cofre del salón. Luego oí que lo izaban por medio de poleas por el hueco de una escalera de hierro.

No cabía duda: aquellos millones eran transportados fuera del *Nautilus*, pero, ¿a qué lugar? ¿Quién sería en tierra el corresponsal del capitán? ¿Y en qué se emplearía aquella fortuna?

No había modo de contestar a tales interrogantes. Después de almorzar volví al salón y me puse a trabajar hasta las cinco de la tarde.

El Mediterráneo, el mar azul por excelencia, el gran mar de los hebreos, el mar de los griegos, el "mare nostrum" de los romanos, bordeado de naranjos, áloes, cactos y pinos marítimos, embalsamado por el perfume de los mirtos, encuadrado por elevadas y ásperas montañas, saturado de un aire puro y diáfano, pero influido incesantemente por la ignición terrestre, es un verdadero campo de batalla en el que Neptuno y Plutón continúan disputándose el dominio del mundo.

Pero a pesar de sus ponderadas bellezas, sólo pude tomar un rápido bosquejo de aquel vasto recipiente, cuya superficie cubre dos millones de kilómetros cuadrados. Hasta me faltó el concurso de los conocimientos personales del capitán Nemo, toda vez que el enigmático personaje no se dejó ver en el transcurso de aquella frenética y veloz travesía. Estimo en unas seiscientas leguas la distancia que recorrió el *Nautilus* sobre las ondas del citado mar, realizando tal viaje en cuarenta y ocho horas.

Indudablemente, el Mediterráneo disgustaba al capitán, debiendo de aportarle demasiados recuerdos, si no demasiados pesares. Echaría de menos aquella libertad de acción, aquella independencia en las maniobras que le permitían los océanos, y el navío se sentiría estrecho entre las próximas costas de Africa y Europa.

Así, nuestra velocidad fue de veinticinco millas por hora. Ned Land, bien a pesar suyo, hubo de renunciar a sus proyectos de fuga. No era posible utilizar la canoa, arrastrada a razón de doce o trece metros por segundo. Abandonar el *Nautilus* a tal velocidad hubiera equivalido a tirarse de un tren que marchara con igual rapidez, intento manifiestamente temerario.

En la tarde del 16 pasamos entre Sicilia y la costa de Túnez. En aquel angosto espacio, comprendido entre el cabo Bueno y el estrecho de Mesina, el fondo del mar se eleva de pronto, formando una verdadera cresta sobre la cual no hay más de diecisiete metros de agua, mientras que a sus lados la profundidad es de ciento setenta. El *Nautilus* hubo de maniobrar con prudencia, para no chocar con aquella barrera natural.

Enseñé a Consejo, en la carta del Mediterráneo, el lugar exacto que ocupaba el extenso arrecife.

—Pero esto, señor, es como un verdadero istmo que une Europa a Africa —observó mi criado.

—Exactamente —contesté—; obstruye por completo el estrecho de Liguria y se ha demostrado que los continentes estuvieron unidos, en época remota, entre el cabo Bueno y el cabo Furina.

—Es muy posible —dijo Consejo.

—Además —proseguí—, entre Gibraltar y Ceuta existe otra barrera semejante que, en los tiempos geológicos, cerraba por completo el Mediterráneo.

— ¡Caramba! —exclamó Consejo—. Pues si algún fenómeno volcánico elevase algún día esas dos barreras por encima de las aguas...

—No es probable, Consejo. La violencia de las fuerzas subterráneas va disminuyendo progresivamente. Los volcanes, tan numerosos en los primeros días del mundo, se apagan poco a poco; el calor interior se debilita, la temperatura de las capas inferiores desciende bastante por siglo, en detrimento del planeta, porque ese calor es su vida.

Durante la noche del 16 al 17 de febrero navegábamos por la parte del Mediterráneo más abundante en naufragios. Tuve ocasión de contemplar numerosos restos sobre el suelo arenoso, empotrados unos, otros tan sólo con una ligera capa de moho; anclas, cañones, proyectiles, árboles de hélices, trozos de máquinas, cilindros deshechos y cascos flotando entre las aguas.

De aquellos navíos siniestrados, unos habían naufragado por colisión; otros, por haber chocado con algún escollo. Vi algunos sumergidos a plomo, con la arboladura en perfecto estado y los aparejos atirantados por el agua.

El 18 de febrero, a las tres de la madrugada, el *Nautilus* embocaba el estrecho de Gibraltar. En él existen dos corrientes: una superior, descubierta en remotos tiempos, que conduce las aguas oceánicas al receptáculo mediterráneo, y una contracorriente inferior, cuya existencia ha podido ser deducida por cálculo. En efecto, el total de las aguas del Mediterráneo, aumentado por las del Atlántico y por los ríos, debería, anualmente, aumentar el nivel de dicho mar, porque su evaporación no es suficiente para restablecer el equilibrio. Y como no ocurre así, no queda más que admitir la existencia de otra corriente inferior que, por el estrecho de Gibraltar, vierta en el depósito del Atlántico las aguas sobrantes del Mediterráneo.

XXII

RIQUEZAS EN EL FONDO DEL MAR

Una vez atravesado el estrecho de Gibraltar, nos internamos en el Atlántico.

A las nueve salí de mi cámara y me dirigí al salón, que se hallaba sumido en suave penumbra, pero desierto. Abrí la puerta de comunicación con la biblioteca. Igual claridad indecisa, y la misma soledad.

De pronto, disminuyeron notablemente las revoluciones de la hélice, hasta que cesaron por completo. ¿Por qué aquella maniobra?

Súbitamente, se oyó un ligero choque. Comprendí que el *Nautilus* acababa de detenerse en el fondo del océano.

En aquel instante se abrió la puerta del salón y apareció el capitán Nemo. Al verme avanzó a mi encuentro y me dijo sin más preámbulo, en tono afable:

—A propósito, señor profesor. Le estaba buscando. ¿Conoce usted la historia de España?

—Muy superficialmente —contesté.

—Todos los sabios son iguales —replicó el capitán—: ¡no saben nada! ¡Vaya, siéntese usted! —añadió—. Voy a referirle un curioso episodio de esa historia.

El capitán se tendió en un diván y maquinalmente me acomodé a su lado en la penumbra.

—Señor Aronnax —empezó—, preste atención. Mi relato le interesará en cierto modo, porque responderá a una pregunta que sin duda se habrá formulado, sin obtener respuesta.

—Le escucho, capitán —contesté.

—En mil setecientos dos —prosiguió el capitán Nemo—, Luis XIV impuso a los españoles su nieto, el duque de Anjou, que reinó con el nombre de Felipe V, que en el exterior hubo de contender con muchos enemigos. En efecto, el año anterior, las casas reales de Holanda, Austria e Inglaterra habían concertado un tratado de alianza en La Haya, para arrebatar la corona de España a Felipe V y ceñirla sobre las sienes de un archiduque, al que dieron el nombre de Carlos III. España se opuso a la coalición, pero carecía casi en absoluto de soldados y marina. En cambio, tenía dinero, a condición, sin embargo, de que sus galeones, cargados de oro y plata de América, pudieran llegar a sus puertos. A fines de aquel año esperaba un riquísimo convoy, que Francia haría escoltar por veintitrés navíos, al mando del almirante Chateau-Renault, ya que los marinos aliados recorrían el Atlántico. Aquel convoy debía fondear en Cádiz, pero, habiendo sabido el almirante que la flota inglesa estaba efectuando un crucero por aquellos parajes, decidió replegarse a un puerto francés. Los comandantes de los buques españoles protestaron contra aquella decisión, exigiendo que se les condujese a un puerto español, que de no poder ser Cádiz, indicaron la bahía de Vigo, que no se hallaba bloqueada. El almirante francés fue débil y se doblegó a aquella petición. Los galeones, pues, entraron en la bahía de Vigo. Por desgracia, ésta es una rada muy abierta, que no hay modo de defender. Era menester, pues, darse prisa a descargar los galeones antes de que arribaran las fuerzas aliadas. Desde luego, no hubiera faltado tiempo de no haber surgido una mezquina cuestión de rivalidad.

El capitán Nemo hizo una pausa y me preguntó:

—¿Sigue el encadenamiento de los hechos?

—Perfectamente —le contesté, sin atinar aún a qué conducía aquella lección de historia.

—Continúo, pues. Los comerciantes de Cádiz disfrutaban de un privilegio, según el cual debían recibir todas las mercancías que procediesen de América. Por consiguiente, desembarcar los lingotes de oro en la bahía de Vigo era un atentado contra su derecho. Recurrieron a Madrid y obtuvieron del débil Felipe V que el convoy, sin proceder a su descarga, permanecería en la rada. de Vigo hasta que las flotas enemigas se alejasen. Ahora bien, en tanto se adoptaba esta resolución, el veintidós de octubre de mil setecientos dos los navíos ingleses llegaron a la bahía de Vigo. El almirante francés, a pesar de la inferioridad de sus fuerzas, se batió con denuedo; pero cuando vio que las riquezas del convoy iban a caer en poder del enemigo, incendió y echó a pique los galeones que se hundieron con todos los tesoros en oro y plata que habían traído de América.

No acertaba aún a comprender qué interés podría tener para mí semejante relato histórico, cuando el capitán Nemo me dijo:

—Nos encontramos en la bahía de Vigo, y de usted depende conocer con todo detalle el secreto de los misterios que encierra.

Se levantó y me invitó a que le siguiera. El salón se hallaba a oscuras; pero a través del mirador, las aguas del mar centelleaban. En torno al submarino, en un radio de media milla, las aguas aparecían impregnadas de claridad eléctrica, destacándose vivamente el arenoso fondo. Algunos marineros, vestidos con escafandras, se ocupaban en vaciar toneles medio podridos y cajas reventadas entre despojos ennegrecidos. De aquellas cajas y de aquellos barriles se escapaban lingotes de oro y de plata, y cascadas de monedas y de diamantes. La arena estaba cubierta de ellos. Luego, cargados con el precioso botín, aquellos hombres regresaban al *Nautilus*, depositaban sus fardos y continuaban la pesca de oro y plata.

—¿Sabía usted, señor catedrático —me preguntó sonriendo—, que el mar encerrase tantas riquezas?

—Sabía —le contesté —que se calculaba en dos millones de toneladas el dinero que mantenían en suspensión sus aguas.

—Indudablemente; mas, para extraer ese dinero, los gastos excedían a los beneficios obtenidos. Aquí, por el contrario, sólo he de recoger lo que los hombres perdieron; ¿Comprende ahora que yo sea mil veces millonario?

—Lo comprendo, capitán. Permítame, sin embargo, decirle que, al explotar esta bahía, precisamente, no ha hecho usted más que anticiparse a los trabajos de una sociedad que ha obtenido del Gobierno español el privilegio de buscar los galeones sumergidos, y no dejaría de ser una obra caritativa la de prevenir a esos accionistas. Aunque, después de todo, son menos dignos de compasión que esos millares de desventurados a quienes tantas riquezas, repartidas, habrían podido aprovechar, mientras que ahora serán estériles para ellos.

En seguida noté que estas palabras habían molestado al capitán Nemo.

— ¡Estériles! —replicó, animándose a medida que hablaba—. ¿Acaso considera usted perdidas esas riquezas, siendo yo quien las recoge? ¿Supone que me impulsa un afán egoísta al tomarme el trabajo de amontonar esos tesoros? ¿Quién le ha dicho que yo no haga buen uso de ellos? ¿Cree usted que no sé de la existencia en la Tierra de seres dolientes, de razas oprimidas, de miserables a quienes aliviar, de víctimas a quienes vengar...?

El capitán Nemo se interrumpió, lamentando tal vez su excesiva expansión. Pero adiviné lo que callaba y entonces comprendí el destino de los millones expedidos por el capitán cuando el *Nautilus* navegaba por las aguas de la rebelde Creta.

XXIII

UN CONTINENTE DESAPARECIDO

Al día siguiente, por la noche, recibí la visita del capitán Nemo, quien me propuso una curiosa excursión. Se trataba de visitar las profundidades submarinas en una noche bastante lóbrega. A pesar de advertirme que el paseo resultaría fatigoso, pues había que andar mucho y trepar por una montaña, y los caminos se hallaban mal conservados, acepté. En pocos instantes nos endosamos las escafandras y colocamos a la espalda las mochilas con los depósitos de oxígeno, abundantemente cargados. No íbamos a llevar lámparas eléctricas, pues el capitán dijo que sólo nos servirían de estorbo.

Me entregaron un fuerte bastón con contera de hierro y minutos después tomamos pie en el fondo del Atlántico, a una profundidad de trescientos metros.

Era cerca de la medianoche. La oscuridad era muy densa en el agua, pero el capitán Nemo me señaló en la lejanía un resplandor rojizo que brillaba a unas dos millas del *Nautilus*. Me fue imposible determinar la naturaleza de aquella luz. De todas maneras nos alumbraba, siquiera fuese de manera vaga, y no tardé en habituarme a aquellas tinieblas especiales.

Nos veíamos obligados a avanzar despacio, porque los pies se hundían con frecuencia en una especie de limo, amasado con algas y sembrado de guijarros.

Al cabo de media hora de andar el suelo era más peligroso. Las medusas, los crustáceos microscópicos y las penátulas nos iluminaban ligeramente con sus fosforescencias. Distinguí montones de pedruscos, cubiertos por millones de zoófitos y urdimbres de algas. Resbalábamos a menudo en aquellos viscosos tapices de fucos, y a no ser por el bastón en que me apoyaba, hubiera caído al suelo más de una vez.

Entretanto, la roja claridad que nos servía de guía iba intensificándose inflamando el horizonte. La presencia de aquella luz bajo las aguas me intrigaba mucho. ¿Sería la manifestación de algún efluvio eléctrico? ¿Iríamos hacia un fenómeno natural, desconocido aún por los sabios de la Tierra? Hasta por mi cerebro cruzó la idea de si no sería la mano del hombre la originaria de aquella combustión. ¿Existiría en aquel fondo una verdadera colonia de desterrados que, cansados de las miserias de la tierra, habían buscado y hallado la independencia en las entrañas del océano?

El camino se iluminaba más cada vez. Los destellos rojizos surgían de la cima de una montaña de unos doscientos metros de altitud; pero lo que yo veía era una simple reverberación producida por las capas de agua. El origen de aquella inexplicable claridad ocupaba la vertiente opuesta de aquella montaña.

El capitán Nemo avanzaba sin la menor vacilación entre los dédalos pedregosos que surcaban el fondo del Atlántico.

Era la una de la madrugada. Habíamos llegado a la falda de la montaña, aunque para proceder a su ascensión era necesario internarse en los intrincados senderos de un amplio soto.

Efectivamente, era un soto de árboles muertos, sin hojas, sin savia; árboles mineralizados bajo la acción de las aguas, dominando a los pinos gigantescos diseminados en todas direcciones. Los senderos estaban obstruidos por algas y fucos, entre los que bullía un mundo de crustáceos. Yo iba trepando por las rocas, saltando sobre los troncos derribados, espantando a los peces.

¡Qué espectáculo! ¿Cómo describir el aspecto de aquellos bosques y de aquellas rocas, con sus bases sombrías y agrestes y sus cumbres coloreadas de tonos encarnados, bajo aquella claridad que era duplicada por el reflejo de las aguas? Trepábamos por rocas que se desmoronaban a nuestro paso, con un sordo rugido de alud. A derecha e izquierda se abrían oscuras galerías, en las que se perdía la mirada. De cuando en cuando se abrían varios claros, que parecían despejados por la mano del hombre y que me hicieron pensar si no aparecería de pronto algún habitante de aquellas regiones submarinas.

El capitán Nemo ascendía sin tregua y yo no quería quedarme rezagado.

Dos horas después de nuestra salida del *Nautilus* habíamos traspuesto la línea de árboles, y a treinta metros sobre nuestras cabezas se erguía la cima de la montaña, cuya proyección sombreaba la refulgente irradiación de la vertiente opuesta. Varios arbolitos petrificados se despeñaban en todas direcciones. Los peces se levantaban en tropel a nuestro paso, como pajarillos sorprendidos en la enramada. La masa rocosa estaba horadada por impenetrables anfractuosidades, grutas profundas, insondables simas, en cuyo fondo se oía remover algo formidable. Millares de puntos luminosos brillaban en las tinieblas. Eran los ojos de crustáceos gigantescos agazapados en sus guaridas.

¿Qué mundo exorbitante era aquél, que aún no había conocido del todo? ¿A qué orden pertenecían aquellos animales extraños y monstruosos, a los que la roca formaba como una segunda concha?

Acabábamos de llegar a una primera meseta, en la que me esperaban más sorpresas. En ella se dibujaban pintorescas ruinas. Consistían en vastas aglomeraciones de piedra, que se adivinaban sombras de castillos, de templos, cu- en lugar de hiedra, de una espesa capa de algas y

Pocos minutos después nos encaramábamos a una cima que dominaba toda la masa de rocas, en un plano de diez metros. La montaña sólo se elevaba unos doscientos cincuenta metros sobre la llanura; en cambio, la otra vertiente, descendía casi el doble.

Miré a lo lejos, abarcando un vasto espacio iluminado por un vivo resplandor. Aquella montaña era un volcán. A cosa de quince metros de la cima, entre un diluvio de piedras y de escorias, un ancho cráter vomitaba torrentes de lava, que se esparcían en cascadas en el seno de la masa líquida. Situado de esta forma, el volcán, como una colosal antorcha, iluminaba la llanura inferior hasta los confines del horizonte.

Ciertamente, el volcán submarino arrojaba lavas, pero no llamas para las que sería necesario el oxígeno del aire, lo que no era factible bajo las aguas; pero las oleadas de lava, que tienen en sí mismas el principio de su incandescencia, pueden elevarse al rojo blanco, luchar victoriosamente contra el elemento líquido y evaporarse a su contacto. Rápidas corrientes arrastraban todos aquellos gases en difusión y los torrentes lávicos se deslizaban hasta el pie de la montaña, como deyecciones del Vesubio sobre otra Torre del Greco.

Allí, a mi vista, en ruinas, abismada, aparecía una ciudad destruida, con sus techos descuajados, sus templos derruidos, sus arcos dislocados, sus columnas derribadas en el suelo, en cuyas ruinas se advertían aún las sólidas proporciones de una especie de arquitectura toscana; más allá, los restos de un formidable acueducto; aquí, la bóveda ensamblada de una acrópolis, con las formas flotantes de un Partenón; se veían vestigios de muelle, cual si un antiguo puerto hubiese abrigado en otras épocas, en las riberas de un mar desaparecido, a los barcos mercantes y a los trirremes bélicos. Más lejos todavía, largas filas de murallas derruidas, amplias calles desiertas, toda una Pompeya sepultada bajo las aguas.

¿Dónde estaba? Quería saberlo, quería hablar.

El capitán Nemo vino a mí, deteniéndome con un ademán. Luego, recogiendo un trozo de piedra caliza, se adelantó hacia una roca de basalto negro y trazó esta sola palabra: "Atlántida".

¡Qué rayo de luz iluminó mi mente! ¡Aquellas ruinas expuestas a mi vista y que conservaban aún los testimonios irrecusables de una catástrofe, eran las de la Atlántida, la región sumergida que existió separada de Europa, donde vivía el poderoso pueblo de los atlantes, contra el cual sostuvieron las primeras guerras los antiguos griegos!

Estos atlantes ocupaban un vasto continente, que cubría una superficie comprendida entre el 12 y el 40 grado de latitud Norte. Su dominación alcanzó hasta Egipto. Pretendieron imponerla también a Grecia, pero hubieron de renunciar ante la indomable resistencia de los helenos. Transcurrieron siglos, y se produjo el cataclismo de inundaciones y terremotos. Una noche y un día bastaron para el aniquilamiento de aquella Atlántida, cuyas más elevadas cumbres, Madera, las Azores, las Canarias, las islas de Cabo Verde, emergen todavía.

Tales fueron los pensamientos que la inscripción del capitán Nemo me inspiró. Mi pie, conducido por el más extraño de los destinos, hollaba ahora una de las montañas de aquel desaparecido continente, tocaba con la mano aquellas ruinas mil veces seculares y contemporáneas de las épocas geológicas; marchaba por donde habían marchado los coetáneos del primer hombre, aplastaba con mis pesadas botas los esqueletos de animales de los tiempos fabulosos, a los que aquellos árboles, ahora mineralizados, habían guarecido antiguamente bajo su sombra.

Mientras yo soñaba despierto, en tanto que procuraba ﹍tener en mi memoria todos los detalles de aquel grandio﹍isaje, el capitán Nemo, acodado sobre un musgo, per﹍ inmóvil, extasiado. ¿Pensaría en las generaciones ﹍ecidas? ¿Sería aquél el lugar al que acudía el extra-

ño personaje para refrescar sus recuerdos históricos y obtener nuevos conocimientos?

Poco después regresábamos a bordo, en el momento en
que los primeros fulgores de la aurora blanqueaban la superficie del océano.

XXIV

ISLOTES CONVERTIDOS EN VOLCANES

Al día siguiente, 20 de febrero, a las ocho de la maña na, pasé al salón. Consulté el manómetro; el buque flotaba en la superficie del océano.

Subí hasta la escotilla, que estaba abierta, pero en lugar de la claridad que esperaba encontrar, me vi envuelto en la oscuridad más absoluta. ¿Dónde estábamos? ¿Era todavía de noche? Pero en el cielo no brillaba ninguna estrella.

Me encontraba perplejo, cuando una voz me dijo:

—¿Es usted, profesor Aronnax?

—¡Hola, capitán! ¿dónde estamos? —pregunté a mi vez.

—Bajo tierra, señor profesor.

—¿Y el *Nautilus* sigue flotando?

—Ya lo ve usted.

—Pues no lo entiendo.

—Aguarde un momento. Van a encender el reflector y podrá ver las cosas claras.

Salí a la plataforma. La oscuridad era tan completa que ni siquiera veía al capitán. Sin embargo, al mirar sobre mi cabeza, me pareció percibir una claridad indecisa, una especie de luz crepuscular, que penetraba por un agujero circular. En aquel instante se encendió el foco eléctrico y su vivo fulgor dominó la penumbra.

El *Nautilus* flotaba junto a un ribazo dispuesto como un muelle. Estábamos en un lago ceñido por un círculo amurallado que medía unas dos millas de diámetro, o sea, seis de circunferencia. Su nivel, así lo indicaba el manómetro, no podía ser otro que el exterior, puesto que necesariamente equel lago debía comunicar con el mar. En la parte superior se abría un orificio redondo, por el cual había sorprendido aquella tenue claridad, debida evidentemente a la irradiacion diurna.

—¿Dónde nos encontramos, capitán? —le pregunté.

—En el centro de un volcán apagado —me contestó Nemo—, de un volcán cuyo interior ha invadido el mar, a consecuencia de alguna convulsión del suelo. El *Nautilus* ha penetrado en este remanso por un canal natural, abierto a diez metros bajo el agua. Es un magnífico fondeadero, un puerto seguro, cómodo, al abrigo de todos los vientos.

—En efecto —asentí—; aquí goza usted de completa seguridad. ¿Quién ha de venir a atacarle en el centro de un volcán?

—Este volcán pertenece a uno de los muchos islotes de que se halla sembrado el mar; simple escollo para los barcos, para nosotros representa una inmensa caverna. La descubrí por puro azar pero me sirve magníficamente.

—Veo que la Naturaleza le ayuda siempre, capitán. Aquí está en seguridad, puesto que nadie más puede entrar en este lago. Pero, ¿por qué ese refugio? El *Nautilus* no necesita puerto.

—Pero necesita electricidad para moverse, elementos para producirla, sodio para alimentar esos elementos, carbón para fabricar el sodio y yacimientos donde extraer ese carbón. Y aquí, exactamente, el mar cubre bosques enteros sepultados en los tiempos geológicos que, petrificados y transformados en hulla, son para mí una fuente inagotable.

—¿De modo que aquí vienen a hacer de mineros?

—Así es.

—¿Y les veremos trabajar?

—En esta ocasión, no, porque me urge continuar la

vuelta al mundo submarino. Me limitaré a cargar el repuesto de sodio que preciso. En cuanto lo embarquemos, proseguiremos el viaje. Si quiere usted recorrer la caverna y dar la vuelta al lago, aproveche este día, señor Aronnax.

Di las gracias al capitán y fui a buscar a mis compañeros, que aún no habían salido de sus camarotes, invitándoles a que me acompañaran, sin decirles dónde nos encontrábamos.

Después de desayunarnos, hacia las diez, Consejo, Ned Land y yo emprendimos la excursión.

Entre la base de las murallas de la montaña y las aguas del lago se extendía una playa arenosa, por la que se contorneaba fácilmente el lago. Sin embargo, los murallones estaban asentados sobre un suelo irregular, en el que yacían, en pintoresco amontonamiento, bloques volcánicos y enormes piedras.

No tardamos en abordar unas rampas largas y sinuosas, verdaderos cerrillos, por los que fuimos ascendiendo poco a poco; pero era preciso andar con suma prudencia entre aquellos conglomerados, carentes en absoluto de cimentación, porque los pies resbalaban en las duras traquitas, formadas de cristales de feldespato y cuarzo.

Al llegar a unos setenta metros de altura obstáculos insalvables nos impidieron el paso. Hubimos de convertir la subida en paseo circular. En las fragosidades de la pared crecían arbustos y hasta ciertos árboles; heliotropos que no justificaban su nombre, ya que los rayos del sol jamás les llegaban, y sus racimos de flores, sin aroma ni color, pendían lánguidamente de sus tallos; crisantemos que brotaban tímidamente aquí y allá, al pie de áloes de largas hojas, macilentos y enfermizos. Sin embargo, entre los regueros de lava podían verse algunas violetas, que exhalaban un leve perfume, que aspiré con fruición.

Habíamos llegado a la linde de un bosquecillos de robustos dragoneros, cuya fuerte raigambre resquebrajaba las rocas, cuando Ned Land exclamó con alegre sorpresa:

— ¡Una colmena!

—Sí, señor; y abejas que zumban a su alrededor.

Efectivamente, el canadiense tenía razón. En el hueco de un agujero practicado en el tronco de un dragonero pululaba un enjambre de esos ingeniosos insectos.

Más abajo de aquel lugar se abría una magnífica gruta. Los tres nos tendimos sobre las finas arenas. Y después de hablar, entre otras cosas, de los proyectos de fuga del *Nautilus*, nos quedamos dormidos.

De pronto, me despertó la voz de Consejo:

— ¡Alerta! ¡Alerta! —gritó.

¿Qué había ocurrido? Sencillamente, que el mar se precipitaba como un torrente en nuestro refugio.

El fenómeno era debido a la marea. Tres cuartos de hora después estábamos de regreso en el *Nautilus*. La tripulación acababa de embarcar en aquel momento las provisiones de sodio y el submarino hubiera podido zarpar inmediatamente.

Pero el capitán Nemo no transmitió ninguna orden. ¿Querría esperar la noche, para salir secretamente por el paso submarino? Bien pudiera ser.

Lo cierto es que al día siguiente, el *Nautilus*, después de abandonar su fondeadero, continuó la navegación mar adentro.

XXV

NAVEGANDO ENTRE HIELOS

Como es sabido, esa gran corriente de agua caldeada conocida con el nombre de Gulf-Stream, después de salir de los canales de la Florida se dirige hacia Spitzberg. Pero antes de penetrar en el golfo de México, dicha corriente se divide en dos brazos: el principal sigue hacia las costas de Irlanda y de Noruega, en tanto que el otro se dirige hacia el Sur, a la altura de las Azores, costea después las costas de Africa y describiendo un óvalo prolongado, torna a las Antillas. Pues bien, este segundo brazo de agua tibia rodea una buena parte del océano, porción de agua fría, tranquila, inmóvil, que se llama el mar de los Sargazos, verdadero lago en pleno Atlántico. Las aguas de la gran corriente invierten unos tres años en circunscribirlo. El mar de los Sargazos cubre toda la parte de la Atlántida sumergida. Cuando Cristóbal Colón y sus carabelas llegaron al mar de los Sargazos, bogaron con notable trabajo por entre aquellas hierbas que interrumpían su avance, con gran espanto de las tripulaciones, y perdieron más de tres semanas en atravesarlo.

Tal era la región que el *Nautilus* recorría en aquellos momentos. Se trataba de una auténtica pradera, una tupida alfombra de algas. El capitán Nemo, no queriendo exponer su hélice en aquella masa herbácea, se mantuvo a varios metros de profundidad.

El nombre de sargazo es de origen español y se aplica a la especie de fuco flotante que forma principalmente el inmenso banco.

Durante todo el día 22 de febrero permanecimos en aquel mar, donde los peces, a los que agradan las plantas marinas y los crustáceos, hallan abundante alimento.

Fueron diecinueve días, del 23 de febrero al 12 de marzo, que el *Nautilus* se mantuvo en aguas del Atlántico navegando unas cien leguas diarias. El capitán Nemo, seguramente, se proponía realizar un viaje submarino, y vi claramente que su intención no era otra que volver a los mares australes del Pacífico, luego de doblar el cabo de Hornos.

Durante los días que duró esta parte del viaje, no ocurrió ningún incidente digno de ser mencionado. Apenas si vi al capitán. Sin duda andaba muy atareado, porque yo solía hallar a menudo en la biblioteca libros que él dejaba entreabiertos, particularmente obras de Historia Natural. Mis notas relativas a las profundidades submarinas, hojeadas por él, aparecían plagadas de notas marginales, que en ocasiones contradecían mis teorías y mis métodos. El capitán prefería depurar así mi trabajo antes que discutir conmigo...

Durante la noche del 13 al 14 de marzo, el *Nautilus* siguió rumbo al Sur. Supuse que a la altura del cabo de Hornos enfilaría al Oeste, a fin de desembocar en los mares del Pacífico y terminar la vuelta al mundo; pero en vez de esto, siguió derrotando hacia las regiones australes. ¿Adónde se proponía ir? ¿Acaso al Polo?

A las once de la mañana, el *Nautilus*, que navegaba por la superficie, cayó en medio de un tropel de ballenas.

Estábamos sentados en la plataforma. El mar estaba tranquilo; el canadiense, que no podía equivocarse, señaló una ballena en el horizonte, en dirección Este. Mirando atentamente, se veía una mole negruzca, que se elevaba y descendía alternativamente sobre las olas.

— ¡Ah! —exclamó Ned Land—. ¡Cómo me alegraría este encuentro si me hallase a bordo de un ballenero! ¡Qué magnífico animal! ¡Mire qué columnas de vapor arroja por sus respiraderos! ¡Voto al diablo! ¿Por qué he de estar enjaulado en este armatoste de hierro?

—¡Cómo! —le contesté—. ¿Conserva usted aún sus aficiones de pescador?

—¡Ah! —exclamó de nuevo el canadiense—. ¡No es una ballena sola...! ¡Son diez, veinte... una verdadera manada! ¡Y no poder moverme...!

—¿Por qué no le pide al capitán Nemo que le permita...? —le propuso Consejo.

Sin esperar a que terminara la frase, Ned Land se precipitó por la escotilla, en busca del capitán. Instantes después se presentaron ambos en la plataforma.

El capitán Nemo fijó su mirada en el tropel de cetáceos, que se solazaba sobre las aguas, a una milla del submarino.

—Son ballenas australes —dijo—. Harían la fortuna de una flotilla de balleneros.

—Mi capitán —dijo el canadiense—, ¿podría darles caza, siquiera sea para recordar mi profesión de arponero?

—¿Para qué? —objetó el capitán—. No tiene objeto cazar por el sólo afán de destruir. El aceite de ballena no lo usamos a bordo.

—Sin embargo, capitán —replicó el canadiense—, bien nos autorizó, en el mar Rojo, a perseguir un dugongo.

—Entonces se trataba de procurar carne fresca a la tripulación. Ahora sería matar por matar. Bien sé que éste es un privilegio reservado al hombre, pero soy contrario a esos pasatiempos mortíferos. Destruyendo la ballena, ser inofensivo y sencillo, tanto usted como sus partidarios cometen una acción vituperable. Así han despoblado ya toda la bahía de Baffin y acabarán por exterminar una clase de animales útiles. Deje usted en paz a esos infelices cetáceos; demasiados enemigos naturales tienen en los cachalotes, los pez-espada y los peces-sierra, para que aumente usted el número.

Imagínense la cara que pondría el canadiense durante aquel curso de moral. Ir con semejantes reflexiones a un cazador es predicar en balde. Ned Land silbó entre dientes una canción popular yanqui, se metió las manos en los bolsillos y nos volvió la espalda.

Había temido que Ned Land se dejara llevar de alguno de aquellos arrebatos, lo cual hubiera tenido consecuencias deplorables. No obstante, a partir de aquel día observé con creciente inquietud que las disposiciones de nuestro arponero con respecto al capitán Nemo eran cada vez más agresivas.

En vista de ello, y pensando que nada bueno podía traernos semejante actitud, determiné vigilar lo mejor posible todos los actos e incluso ademanes del indomable canadiense.

El *Nautilus* continuó su imperturbable y tranquila marcha hacia el Sur a una considerable velocidad. ¿Nos dirigíamos hacia el Polo? Era poco factible, puesto que hasta ahora habían fracasado todas las tentativas. Por otro lado, la estación estaba muy avanzada. El 14 de marzo distinguí hielos que flotaban, simples disgregaciones incoloras que formaban escollos contra los que el mar se estrellaba con gran estrépito. Hacia el horizonte meridional extendíase una franja blanca de aspecto deslumbrador. Por densas que sean las nubes no pueden oscurecerla. Anuncia la existencia de un banco de hielo.

No tardaron en aparecer témpanos de mayor volumen, cuyo brillo cambiaba según los caprichos de la bruma. Algunas de dichas moles presentaban vetas verdes, cuyas ondulaciones semejaban venas de sulfato de cobre; otras, parecidas a enormes amatistas, filtraban la luz.

A medida que bajábamos hacia el Sur, las islas flotantes aumentaban en tamaño y en número.

Durante aquella navegación entre hielos el capitán Nemo pasaba largos ratos en la plataforma, observando atentamente aquellos desolados parajes. En ocasiones, su mirada parecía animarse. ¿Se imaginaría que en los mares polares, inaccesibles al hombre, estaba en sus dominios, dueño absoluto de aquellos infranqueables espacios? Tal vez. Pero no hablaba. Permanecía inmóvil, hasta que se sobreponían en él los instintos de piloto. Entonces dirigía al *Nautilus* con destreza consumada, esquivaba hábilmente los choques con aquellas masas, algunas de las cuales medían varias millas de longitud, con altitudes que sobrepasaban los setenta metros. De vez en cuando el horizonte aparecía completamente taponado. A la altura de los sesenta grados de latitud había desaparecido todo paso; pero el capitán Nemo, buscando con cuidado, tardaba poco en dar con alguna estrecha abertura por la que se deslizaba con audacia, aun sabiendo de modo cierto que se cerraría tras él y podría impedirle el regreso.

Asi fue cómo el *Nautilus*, guiado por mano experta, rebasó la línea de hielos.

La temperatura era sólo de dos o tres grados bajo cero; pero íbamos forrados de pieles de foca. El interior del submarino, caldeado por sus aparatos eléctricos, podía desafiar los fríos más intensos. Por otra parte, le hubiera bastado sumergirse unos cuantos metros para hallar una temperatura soportable.

El 15 de marzo rebasamos la latitud de las islas New-Shetland y de las Orkney del Sur. El capitán Nemo me informó de que, tiempo atrás, aquellas tierras las habitaban numerosas tribus de focas; pero los balleneros ingleses y americanos, en su afán destructor, habían acabado con ellas, dejando tras de sí el silencio de la muerte allí donde antes existía la animación de la vida.

El 16 de marzo, hacia las ocho de la mañana, el *Nautilus*, siguiendo el meridiano 55, cortó el círculo polar antártico. Los hielos nos rodeaban por todas partes y cerraban el horizonte; pero el capitán Nemo seguía impertérrito su avance.

Confieso que aquella excursión no me desagradaba.

No encuentro frases para describir mi admiración ante las peregrinas bellezas de aquellas regiones.

El capitán Nemo, guiado por el instinto, aprovechando el más ligero indicio, descubría pasos nuevos. Jamás se equivocaba al observar los delgados regueros de agua azulada que surcan los ice-fields, lo cual me hizo pensar que no era la primera vez que el *Nautilus* se aventuraba en los mares antárticos.

Sin embargo, el 16 de marzo, las heladas llanuras nos interceptaron totalmente el paso. Aún no era el banco, sino vastos ice-fields cimentados por la baja temperatura. El submarino penetró como una cuña en la quebradiza masa, que se partió con un crujido.

Por fin, sin embargo, el 18 de marzo, el *Nautilus* quedó definitivamente detenido; estábamos ante una interminable barrera formada por montañas soldadas entre sí. Era el mar de hielo. El Sol apareció un momento, a eso de mediodía, y el capitán Nemo pudo fijar con bastante exactitud nuestra situación.

A la vista no se notaba la menor apariencia de mar, de superficie líquida. Bajo el espolón del *Nautilus* se extendía una dilatada y accidentada llanura, un laberinto de confusas moles. Por todas partes, picos agudos, afiladas agujas.

A pesar de todos los poderosos medios utilizados para disgregar las masas de hielo, el submarino quedó reducido a la inmovilidad. Ahora bien, a quien le es imposible avanzar le queda siempre el recurso de dar marcha atrás. Sin embargo, en nuestro caso resultaba tan imposible avanzar como retroceder, debido a que los canalizos abiertos se habían cerrado tras nuestro, y a poco que el submarino permaneciera estacionado, no tardaría en verse bloqueado. Lo que ocurrió a las dos de la tarde, pues se amontonó en sus costados el hielo con asombrosa rapidez. He de confesar que la conducta del capitán Nemo traspasaba los límites de la más elemental prudencia.

En aquel momento estábamos en la plataforma. El capitán, que observaba la situación desde hacía un rato, me dijo:

—¿Qué le parece a usted eso, señor profesor?

—Pues que nos hemos atascado, capitán.

—¡Atascado! ¿Cómo entiende usted eso?

—Pues, que no podemos ir hacia delante ni atrás, ni a derecha ni a izquierda.

—Así, pues, señor Aronnax, ¿supone usted que no podremos salir del atolladero y que hemos topado con una enorme dificultad?

—Así es, capitán, porque la estación está ya muy avanzada para poder contar con el deshielo.

—Siempre será usted el mismo, señor Aronnax —replicó el capitán en tono irónico—. ¡En todo ve usted inconvenientes y obstáculos! Pues bien: yo le aseguro no sólo que saldremos de aquí, sino que saldremos avanzando.

—¿Hacia el Sur?

—Sí, señor, hasta el Polo.

—¡Al Polo! —exclamé, sin poder reprimir un gesto de incredulidad.

—Sí —contestó el capitán—; al Polo Antártico, a ese punto desconocido en que se cruzan todos los meridianos de la Tierra. Ya sabe usted que hago lo que quiero con el *Nautilus*. Allí donde otros han fracasado, yo venceré. Jamás he paseado mi submarino por regiones tan apartadas; pero, se lo repito, continuaremos avanzando por los mares australes, y lo haremos por debajo.

Había comprendido. Las maravillosas propiedades del *Nautilus* iban a servirle, una vez más, en aquella sobrehumana empresa.

Inmediatamente el capitán mandó llamar a su segundo, el cual compareció en seguida. Y ambos conversaron en su incomprensible lengua, y fuese porque el subordinado estuviera prevenido, ya porque el proyecto del capitán le pareciera realizable, el caso es que no opuso el menor reparo.

Pero aún superó a su impasibilidad la de Consejo, cuando le notifiqué el propósito de avanzar hasta el Polo. Un "como usted guste" acogió mi noticia. En cuanto al canadiense, se limitó a encogerse de hombros.

—Créame, señor Aronnax —me dijo—; tanto usted como el capitán Nemo me inspiran compasión.

—Pero iremos al Polo, amigo Ned. Comparto la confianza del capitán.

—Es posible, pero no volveremos.

Entretanto, habían dado comienzo los preparativos de la audaz tentativa. Las potentes bombas del submarino introducían aire en los depósitos, almacenándolo a gran presión. A las cuatro de la tarde el capitán anunció que iban a ser cerradas las escotillas de la plataforma.

Diez marineros, provistos de picos, se situaron a ambos flancos del submarino y rompieron el hielo en torno al carenado. La operación se hizo con rapidez. Una vez concluida, embarcamos todos, los recipientes se llenaron con el agua que se mantenía líquida alrededor de la línea de flotación, y el *Nautilus* empezó a descender.

Instalado en el salón, acompañado por Consejo, contemplamos las capas inferiores del océano austral, a través del mirador.

Como había previsto el capitán Nemo, a unos trescientos metros de profundidad, flotábamos bajo la ondulada superficie del mar de hielo. Sin embargo, el *Nautilus* siguió sumergiéndose hasta alcanzar una profundidad de ochocientos metros..

—Salvando siempre la opinión del señor —dijo Consejo—, creo que pasaremos.

—Sin duda alguna —contesté convencido.

Ya en mar. libre, el *Nautilus* hizo rumbo al Polo directamente.

Durante una parte de la noche, Consejo y yo permanecimos tras la vidriera, atraídos por la novedad de la situación. Las irradiaciones eléctricas del reflector iluminaban el mar, completamente desierto. Los peces no se estacionaban en aquellas aguas cautivas.

A las cinco de la mañana, la corredera eléctrica me indicó que el submarino había moderado la marcha. Se remontaba hacia la superficie, aunque con muchas precauciones.

Mi corazón latió apresuradamente. ¿Emergeríamos al fin, encontrando la atmósfera libre del Polo?

No. Un choque me advirtió que habíamos tropezado con la base del banco de hielo, muy grueso aún, a juzgar por la opacidad del ruido.

Durante todo el día el *Nautilus* repitió varias veces la operación, chocando siempre contra la muralla por encima de él.

Por la noche no sobrevino cambio alguno en la situación. El hielo comenzó a oscilar entre cuatrocientos y quinientos metros de profundidad. La disminución era evidente, pero ¡qué barrera, aún, la interpuesta entre nosotros y la superficie del mar!

Yo no apartaba los ojos del manómetro. Continuábamos subiendo, trazando una diagonal, a la resplandeciente superficie, que centelleaba al fulgor del potente reflector. El hielo iba cediendo por encima y por debajo, formando dilatadas pendientes y haciéndose más delgado de milla en milla.

Por fin, a las seis de la mañana del 19 de marzo, se abrió la puerta del salón... y el capitán se presentó exclamando:

—¡El mar libre!

XXVI

EN EL POLO SUR

Me trasladé apresuradamente a la plataforma.

Sí, era el mar libre. Apenas se veían algunos témpanos esparcidos. A lo lejos, la vasta sabana del océano; en el cielo, una bandada de pájaros. Bajo las aguas, miles de peces que variaban su color según la profundidad, desde el más intenso azul hasta el verde aceitunado. Todo era una relativa primavera.

No sabíamos si nos hallábamos en el Polo. A diez millas, hacia el Sur, se alzaba un islote. Con precaución nos dirigimos hacia él. Una hora después llegamos al islote, que contorneamos por completo. Medía de cuatro a cinco millas de circunferencia. Hicimos alto a cierta distancia de su playa por temor a embarrancar.

Embarcamos en la canoa, el capitán, dos marineros, Consejo y yo. Sin gran esfuerzo, la canoa atracó en la playa. Consejo se disponía a saltar a tierra, pero yo le detuve. Dada nuestra situación en el *Nautilus*, no debíamos tomar la iniciativa.

—Capitán Nemo —dije—, a usted corresponde el honor de ser el primero que pise esta tierra.

—Crea usted, señor Aronnax —contestó el capitán—, que si no vacilo en hollar con mi planta este suelo del Polo es porque ningún ser mortal ha marcado en él la huella de sus pasos.

Dicho esto saltó sobre la arena. Se le advertía emocionado. Se encaramó a un picacho que coronaba una pequeña eminencia y, desde allí, cruzado de brazos, los ojos brillantes, inmóvil y mudo, pareció tomar posesión de aquellas regiones australes. Cinco minutos después, durante los cuales permaneció como en éxtasis, se dirigió a nosotros:

—Cuando usted guste, señor profesor.

Desembarqué seguido de Consejo. Los dos marineros permanecieron en la canoa. En un largo trecho, el terreno aparecía cubierto por una toba rojiza, parecida a cascote de ladrillo, mezclada con escorias, regueros de lava y piedra pómez. No había, pues, duda alguna acerca de su origen volcánico. Aquí y allá, ligeras humaredas que despedían un olor sulfuroso, indicaban que los fuegos interiores continuaban conservando su fuerza expansiva. No obstante, no pude distinguir ningún volcán en un radio de varias millas.

A las once aún no había brillado el Sol, persistiendo una espesa bruma. La invisibilidad del astro no dejaba de inquietarme, porque sin él no eran posibles las observaciones. ¿Cómo determinar de otro modo si habíamos llegado al Polo?

Cuando me reuní con el capitán Nemo le encontré acodado sobre un saliente de la roca y mirando en silencio el cielo. Parecía impaciente, contrariado. Pero, ¿qué recurso quedaba? Aquel hombre audaz y poderoso no dominaba al Sol como al mar.

Llegó el mediodía sin que hubiera resplandecido un solo instante el astro rey. No podía ni tan siquiera colegirse la posición que ocupaba tras la densa cortina de bruma, que no tardó en resolverse en copiosa nevada.

—Lo dejaremos para mañana —se limitó a decir el capitán.

Volvimos al *Nautilus*.

El temporal de nieve duró hasta el día siguiente. Desde el salón donde ordenaba las notas de los incidentes de nuestra expedición, oía los graznidos de petreles y albatros que se refocilaban en medio de la tormenta. El submarino, bordeando la costa, avanzó unas diez millas más al sur.

Al día siguiente, 20 de marzo, cesó la nevada. El frío era algo más intenso. Dos grados bajo cero. Como la niebla se había disipado, Consejo y yo embarcamos en la canoa para realizar una excursión por tierra. La naturaleza del suelo era igualmente volcánica. Como en el anterior paraje, millares de aves poblaban aquella parte del continente polar, pero compartiendo su dominio con algunas manadas de mamíferos marinos, que nos contemplaban perezosamente. Eran focas de diversas especies, unas tendidas en el suelo, otras reclinadas sobre témpanos a la deriva, otras chapuzándose en la orilla. Desconociendo, en su aislamiento, el peligro que pudiera representar el hombre, no huyeron al aproximarnos. Habían tantas que habrían podido aprovisionarse algunos centenares de navíos. Eran las ocho de la mañana. Disponíamos, pues, de cuatro horas hasta poder verificar la comprobación solar. Dirigí mis pasos a una vasta bahía, escotada en el acantilado granítico de la costa.

Desde allí hasta donde alcanzaba la vista, el terreno firme y los témpanos flotantes estaban atestados de mamíferos marinos. Los que más abundaban eran las focas.

La mayor parte de aquellos animales dormían sobre las rocas y en la arena. Ninguno se movió al acercarnos.

Dos millas más allá interceptó nuestro paso el promontorio que resguardaba la bahía de los vientos del Sur. Caía perpendicular sobre el mar, espumeando a los embates de la resaca.

Eran entonces las once, y si el capitán Nemo creía favorables las condiciones para la observación, tan deseada, yo quería presenciar la operación. Sin embargo, no confiaba que el Sol apareciese aquel día. Las nubes seguían ocultándolo, como si el astro, celoso, se negase a revelar a seres humanos aquel punto inabordable del globo.

A pesar de todo, decidí volver al *Nautilus*. Seguimos un angosto sendero que corría a lo largo de la cima del acantilado, y a las once y media nos hallábamos en el punto de

desembarco. La canoa, varada en la playa, había llevado
ya a tierra al capitán Nemo. Le vi de pie, sobre un peñasco
de basalto. Los instrumentos estaban a su lado. Su mirada
permanecía fija en el horizonte septentrional, cerca de
cuyos límites el Sol describía su prolongada curva.

Llegué a su lado, aguardando sin pronunciar palabra.
Al llegar el mediodía, como la víspera, las nubes continuaban velando completamente el Sol.

Era una fatalidad. De nuevo se frustraba la observación y de no realizarse al día siguiente, habría que renunciar definitivamente a conocer nuestra situación.

Comuniqué mi pesimismo al capitán.

—Tiene usted razón, profesor —me dijo—; si mañana
no obtengo la altura del Sol, no podré verificar esta posición hasta transcurridos seis meses. En cambio, y precisamente por ser mañana veintiuno de marzo, si el Sol se
hace visible será más fácil determinar nuestra posición.

A las cinco de la mañana del 21 de marzo estaba ya en
la plataforma. El capitán Nemo se me había anticipado.

—El tiempo tiende a despejar —me dijo—. Tengo buenas esperanzas. Después de desayunar bajaremos a tierra
para elegir un puesto de observación.

Terminado el desayuno emprendimos el camino hacia
tierra. El *Nautilus* se había internado unas cuantas millas
durante la noche. Estaba en alta mar, a una legua de una
costa dominada por un agudo picacho de cuatrocientos
a quinientos metros. La canoa conducía conmigo al capitán Nemo, a los marineros y los instrumentos, consisten-
tes en un cronómetro, un anteojo y un barómetro.

Hacia las nueve atracamos en tierra. El cielo había
aclarado, las nubes huían en dirección Sur y las brumas se
disipaban sobre la helada superficie de las aguas. El capitán
se dirigió al picacho, en el cual parecía querer establecer
el observatorio. La ascensión fue penosa.

Dos horas invertimos en alcanzar la cima de aquel pico,
mezcla de pórfido y basalto.

El capitán Nemo, al llegar a la cúspide del picacho, calculó con minuciosidad su altura, valiéndose del barómetro. Poco después, provisto de un anteojo de retículas, que con el auxilio de un espejo corregía la refracción, observó el astro diurno, que trasponía lentamente el horizonte siguiendo una diagonal muy pronunciada. Yo tenía el cronómetro. El corazón me latía aceleradamente. Si la desaparición del disco solar coincidía con las doce del cronómetro, nos encontrábamos en el mismísimo Polo.

— ¡Las doce! —grité.

— ¡El Polo Sur! —respondió el capitán, con acento solemne, dándome el anteojo, a través del cual pude ver el Sol cortado en dos mitades exactamente idénticas por el horizonte.

El capitán Nemo apoyó una mano en mi hombro y me dijo:

—Nadie hasta hoy ha llegado al grado noventa y nueve, o sea, el Polo Sur. Pues bien; hoy, veintiuno de marzo de mil ochocientos sesenta y ocho, tomo posesión de esa parte del globo, equivalente a la sexta parte de los continentes conocidos.

—¿En nombre de quién, capitán?

—En el mío, profesor —contestó con orgullo más que justificado.

Y al decirlo, el capitán Nemo desplegó una bandera con una "N" bordada en oro en su centro.

XXVII

EL CAMINO INTERCEPTADO

A las seis de la mañana del día siguiente comenzaron los preparativos de marcha.

El submarino comenzó a descender poco a poco, hasta alcanzar una profundidad conveniente. Avanzó directamente hacia el Norte, a una velocidad de quince millas. Al anochecer flotaba de nuevo bajo un caparazón de blanco y duro hielo. La claraboya había sido cerrada por temor a un choque con algún témpano sumergido.

A las tres de la madrugada me despertó un fuerte choque. Me incorporé y tendí el oído. De pronto, me sentí impelido hacia el centro de la estancia. Seguramente el *Nautilus* había escorado después del encontronazo.

Salí del cuarto en busca de noticias; agarrándome con fuerza de las paredes y arrastrándome por los pasillos llegué hasta el salón que, por fortuna, estaba iluminado. Los muebles se encontraban esparcidos en todas direcciones. En el interior sentí ruido de voces y de pasos; pero no vi al capitán Nemo. Al salir del salón encontré a Ned Land y a Consejo, que venían a buscarme y saber qué ocurría.

—¿Qué sucede? —les pregunté inmediatamente.

—Eso venía a preguntar al señor.

—Creo que el *Nautilus* ha varado —exclamó el canadiense—, a juzgar por su inclinación.

Me acerqué a consultar el manómetro, quedando sorprendido al ver que marcaba una profundidad de trescientos metros.

Abandonamos la estancia En la biblioteca no había nadie. Supuse que el capitán Nemo estaría en la caseta del timonel. Lo mejor era esperar.

Transcurridos veinte minutos, durante los cuales tratamos de sorprender algún ruido, entró el capitán Nemo. Observó en silencio la brújula y el manómetro y apoyó después el índice en un punto del planisferio, en la parte que representaba los mares australes.

No quise interrumpirle. Sólo cuando se volvió, pasados unos instantes, le pregunté:

—¿Un incidente, capitán?

—No, señor —contestó—; esta vez es un accidente.

—¿Es inmediato el peligro?

—No.

—¿Ha encallado el *Nautilus*?

—Sí.

—¿Y a qué se debe el accidente?

—A un enorme témpano de hielo, una montaña entera que ha dado la vuelta. Cuando los icebergs están minados en su base por el contacto de agua más caliente, o por reiterados choques, su centro de gravedad queda elevado. Entonces pierden la estabilidad y dan una vuelta de campana. Eso es lo que ha ocurrido esta vez. Una de esas moles, al dar la vuelta, ha chocado con el *Nautilus*, se ha deslizado bajo su casco y, levantándolo con irresistible empuje, lo ha llevado a capas menos densas, donde estamos escorados.

—Pero, ¿no es posible aligerarlo, vaciando sus depósitos a fin de que recobre el equilibrio?

—Eso estamos haciendo. Mire; la aguja del manómetro indica que subimos; pero el témpano sube a su vez, y hasta que un obstáculo detenga esa ascensión, nuestra situación no cambiará.

Mientras yo meditaba sobre esta contingencia, el capitán Nemo no apartaba la vista del manómetro.

De pronto, el casco hizo un ligero movimiento. Obviamente, el submarino iba recuperando lentamente la posición horizontal. Dominados por la ansiedad, todos nos mirábamos, sintiendo las oscilaciones de la nave. Así transcurrieron diez minutos. El pavimento se allanó bajo nuestros pies.

— ¡Hemos recobrado la posición horizontal! —exclamé.

—Efectivamente —dijo el capitán, dirigiéndose a la puerta.

—Pero, ¿flotaremos?

—¿Qué duda cabe? —contestó el capitán—. En cuanto los depósitos estén vacíos el *Nautilus* ascenderá a la superficie.

Poco después nos encontrábamos en agua libre; pero a diez metros de distancia de cada costado del navío se elevaba una deslumbrante muralla de hielo. Por encima y por debajo había otras barreras parecidas; por encima, porque la parte inferior del banco se extendía como una inmensa techumbre; por debajo, porque la mole derrumbada, deslizándose gradualmente, había hallado en las murallas laterales dos puntos de apoyo, que la mantenían retenida en esta posición. El *Nautilus* se hallaba encerrado en un verdadero túnel de hielo.

A las cinco de la mañana se produjo un choque a proa. Seguramente el espolón del navío había tropezado con un bloque de hielo, a causa sin duda de una falsa maniobra, porque el túnel submarino, obstruido por los témpanos, ofrecía una difícil navegación. Creí que el submarino sortearía los obstáculos o seguiría las sinuosidades del túnel; esto es, que de cualquier modo que fuese no interrumpiría el avance. Pero no fue así, ya que el *Nautilus* inició un pronunciado movimiento de retroceso.

—¿Volvemos hacia atrás? —preguntó Consejo.

—Sí —afirmé—. Por lo visto el túnel está obstruido por la boca sur.

Transcurrieron varias horas, durante las cuales observé con frecuencia los instrumentos de la pared del salón.

A las ocho se produjo un nuevo choque, esta vez

a popa. Estreché con fuerza la mano de Consejo, y ambos nos interrogamos con la mirada, más directamente que si las palabras hubieran interpretado nuestros sentimientos.

En aquel instante entró el capitán en el salón. Me adelanté a su encuentro.

—¿Está interceptado también el camino por el sur? —le pregunté.

—Sí —me contestó—. El iceberg, al derrumbarse, ha cerrado toda salida.

—Luego, ¿estamos bloqueados?

—Sí, en efecto.

El *Nautilus*, pues, se encontraba rodeado de una infranqueable capa de hielo. Estábamos prisioneros en un banco de nieve. Ned Land descargó un terrible puñetazo sobre la mesa. Yo miré al capitán, cuya fisonomía me pareció haber recobrado su habitual calma. El *Nautilus* no se movía. El capitán Nemo continuó:

—Señores, en las condiciones en que nos encontramos, podemos morir de dos maneras: aplastados o por asfixia. No hablo de la posibilidad de sucumbir de hambre, porque las provisiones durarán sin duda más que nosotros. La dotación de aire alcanzará sólo para unas sesenta horas. Pero trataremos de conjurar el peligro antes de ese tiempo. Intentaremos perforar la muralla que nos envuelve.

—¿Por qué parte? —inquirí.

—Eso nos lo dirá la sonda. Voy a hacer varar el *Nautilus* en el banco inferior, y mis hombres, provistos de escafandras, horadarán el iceberg por su parte menos consistente.

El capitán Nemo salió. Al poco rato unos silbidos me indicaron que el agua se introducía en los depósitos. El *Nautilus* descendió lentamente hasta descansar sobre la masa de hielo, a una profundidad de trescientos cincuenta metros.

—Amigos míos —dije a mis compañeros—, la situación es grave, pero cuento con vuestro valor y energía.

—Señor Aronnax —me contestó Ned—, sería enojoso importunarle con mis recriminaciones en estos momentos. Estoy dispuesto a todo en beneficio de la salvación común.

—Bien Ned —dije, tendiéndole la mano—. El capitán no rechazará sus servicios.

Y conduje al canadiense al sollado donde los tripulantes del *Nautilus* se ajustaban las escafandras, notificando al capitán el ofrecimiento de Ned, que fue aceptado.

Pocos instantes después pisaban el banco de hielo doce marineros, entre los cuales estaba Ned Land, quien destacaba por lo elevado de su talla. Les acompañaba el capitán.

Antes de proceder a la perforación de las murallas, el capitán Nemo hizo practicar sondeos con objeto de asegurar la buena dirección de los trabajos. Fueron introducidas sondas en las paredes laterales, pero a los quince metros todavía la masa era compacta. No podían tantear la superficie superior, puesto que la constituía el banco volcado, que medía más de cuatrocientos metros de altura. El capitán Nemo ordenó que se sondease la capa inferior, comprobando que nos separaban del agua unos diez metros. Lo primero que debía hacerse era separar un trozo de superficie igual a la línea de flotación del *Nautilus*, con objeto de abrir un agujero que permitiera deslizarse al submarino por debajo del campo de hielo.

En vez de excavar en torno a la nave, el capitán Nemo hizo trazar la extensa fosa a ocho metros de la banda de estribor. Seguidamente, los marineros taladraron al mismo tiempo en varios puntos de la circunferencia. Momentos después, los picos atacaron con el mayor vigor aquella compacta materia, separando grandes fragmentos de la misma. Debido a un curioso efecto de gravedad específica, los trozos menos pesados que el agua ascendían a la bóveda del túnel, que engrosaba por arriba lo que adelgazaba por debajo.

Después de dos horas de incesante y brioso trabajo,

Ned Land se retiró fatigado, así como sus compañeros, siendo sustituidos por nuevos operarios, entre los que figurábamos Consejo y yo, bajo la dirección del segundo de a bordo.

El agua me pareció muy fría, pero el manejo de la piqueta provocó una pronta reacción. Mis movimientos eran muy sueltos, a pesar de producirse bajo una presión de treinta atmósferas.

Dos horas después volví al submarino para reponer fuerzas y descansar un poco. Su ambiente interior empezaba a notarse cargado de anhídrido carbónico. Ahora bien, en doce horas sólo habíamos rebajado un metro de la superficie delimitada. En el supuesto de que efectuáramos el mismo trabajo cada doce horas, precisaríamos de cinco noches y cuatro días para rematar la tarea.

Al día siguiente reemprendí el trabajo de minero, ahondando el quinto metro. Las paredes laterales y la base del banco engrosaban visiblemente y se juntarían antes de poder romper aquel círculo de hielo. Apenas quedaban diez metros de agua a popa y proa. La congelación ganaba terreno por todos lados. Y apenas si disponíamos de aire para un par de días más.

Al llegar la noche se había excavado otro metro de zanja. Cuando volví a bordo estuvieron a punto de asfixiarme las emanaciones de ácido carbónico de que se hallaba saturado el aire. Aquella misma noche el capitán hubo de abrir las espitas de los depósitos y dar salida a algunas columnas de aire puro. Sin semejante precaución no habríamos despertado.

Al día siguiente, 26 de marzo, reanudé el trabajo de zapador. Las paredes laterales y la base del banco de hielo engrosaban rápidamente. Era indudable que se juntarían antes de que el *Nautilus* lograra salvar aquel cerco de hielo. La desesperación me asaltó por un momento. ¿A qué continuar cavando si había de perecer ahogado, estrujado por aquella masa de agua convertida en piedra, víctima de un suplicio que ni la ferocidad más salvaje hubiera ideado?

En aquel momento, el capitán Nemo, que dirigía el trabajo, pasó a mi lado. Le toqué con la mano y le señalé las paredes de nuestra prisión. El muro de estribor había avanzado a menos de cuatro metros del casco de la nave.

El capitán me comprendió y me hizo señas de que le siguiera. Volvimos a bordo, nos quitamos las escafandras y pasamos al salón.

—Señor profesor —me dijo—, hay que apelar a cualquier recurso si no queremos morir emparedados entre los hielos, como en un bloque de cemento.

—Es cierto —contesté—; pero, ¿qué hacer?

—No podemos contar con la ayuda de la Naturaleza, sino con nuestros propios medios. Hay que oponerse a la solidificación. Ya no sólo se va estrechando la distancia entre las paredes laterales, sino que apenas quedan tres metros de agua a proa y a popa del *Nautilus*.

—¿Para cuánto tiempo tenemos aire en los depósitos?

—Pasado mañana —aseveró— estarán vacíos.

El capitán Nemo permaneció pensativo unos instantes, silencioso, inmóvil. Una idea parecía agitar su mente. Al fin escaparon las palabras de sus labios.

—Estamos encerrados en un espacio muy reducido. ¿No cree usted que si las bombas arrojaran constantemente chorros de agua hirviendo elevarían la temperatura de ese medio y retrasarían la congelación? Tal vez así podamos salvarnos.

—Probémoslo —dije resueltamente.

El termómetro marcaba siete grados bajo cero en el exterior. El capitán Nemo me condujo a las cocinas del *Nautilus*, donde funcionaban los aparatos destiladores que proveían de agua potable por evaporización. Se llenaron de líquido y se concentró todo el poder calórico en las pilas a través de los serpentines. A los pocos minutos el agua llegó a cien grados. Entonces se encauzó hacia las bombas, mientras el agua fría penetraba de nuevo en los receptáculos a medida que brotaba la caliente.

A las tres horas de empezada la operación el termómetro marcaba seis grados bajo cero. Se había ganado un grado. Dos horas más tarde el termómetro ascendió a cuatro grados.

Durante la noche la temperatura llegó a un grado bajo cero. No pudo elevarse más. Pero, como la congelación del agua no se produce hasta los dos grados bajo cero, me tranquilicé a este respecto.

Al día siguiente se habían vaciado ya seis metros de zanja. Tan sólo faltaban cuatro, pero que representaban cuarenta y ocho horas de trabajo. La atmósfera de la nave ya no podía renovarse. A las tres de la tarde la sensación de angustia que me dominaba llegó a su límite.

En tan intolerable situación, general a todos nosotros, ¡con qué precipitación, con qué alegría nos embutíamos las escafandras para reemprender el turno de trabajo! Los brazos se cansaban, las manos se desollaban, pero ¿qué importancia tenían aquellas fatigas, qué significaban las heridas? El aire vivificante entraba en los pulmones. ¡Se alentaba, se respiraba!

Sin embargo, nadie prolongaba la tarea más de los límites fijados. Terminada la labor, cada cual entregaba a sus jadeantes compañeros el depósito que debía transmitirles vida. El capitán Nemo daba el ejemplo, siendo el primero en someterse a la rígida disciplina, sin denotar el menor desaliento, sin formular la más leve queja.

A los seis días de dura labor, el capitán Nemo, considerando muy lenta la obra de los picos, decidió atravesar de una vez la congelada capa que nos separaba de la masa líquida. Aquel hombre conservaba la serenidad y la energía. Pensaba, combinaba, se movía.

El submarino fue aligerado y extraído de la masa de hielo mediante un cambio de su centro de gravedad. Una vez a flote, fue halado por la marinería hasta colocarlo exactamente encima de la zanja abierta a la medida de su perímetro. Luego se llenaron los depósitos y el submarino descendió quedando encajado en su alvéolo.

Seguidamente toda la tripulación se trasladó a bordo y se cerró la doble compuerta de comunicación. El *Nautilus* gravitaba en aquel momento sobre una capa helada, que apenas medía medio metro de espesor, y agujereada en varios sitios por la sonda.

Todos aguardamos, expectantes, olvidando los sufrimientos y conservando aún la esperanza. Nos jugábamos el ser o no ser más.

A pesar de los zumbidos que resonaban en mi cabeza, percibí ciertos estremecimientos bajo el casco de la nave. A poco se produjo un desnivel. El hielo crujió de modo particular, y el submarino empezó a resbalar.

— ¡Pasamos! —murmuró Consejo a mi oído.

No pude contestarle. Tomé su mano y la oprimí.

De pronto, arrastrado por el exceso de su carga, el submarino se hundió en las aguas como una bala; es decir, cayó a plomo como si descendiera en el vacío.

A los pocos minutos se detuvo la caída, trocándose en ascenso, que acusó el manómetro. La hélice, girando a toda velocidad, hizo retemblar el casco de acero hasta en sus remaches y nos impelió hacia el Norte.

Pero, ¿cuánto tiempo se prolongaría la navegación bajo el banco de hielo hasta encontrar mar libre?

Consulté el manómetro. Sólo estábamos a seis metros de la superficie. Unicamente nos separaba del oxígeno un débil campo de hielo. Muy poco, pero tal vez demasiado.

¿Lograríamos romperlo? De cualquier modo, el *Nautilus* iba a intentarlo.

Advertí que la nave adquiría una posición oblicua, levantando el espolón. La entrada de una corriente de agua había sido suficiente para romper su equilibrio. Después, impulsado por su potente hélice, embistió por debajo al ice-field, como un ariete formidable, perforándolo poco

a poco. Hizo marcha atrás para rebetir su embestida a
toda velocidad, hasta que, impelido por un supremo
arranque, se lanzó contra la capa de hielo, que cedió a su
empuje.

Se abrió, o mejor, se forzó la escotilla y el aire puro
entró a oleadas en todos los rincones del submarino.

XXVIII

BORDEANDO EL CONTINENTE AMERICANO

No puedo explicarme cómo me encontré en la plataforma. Tal vez me llevó a ella Ned Land. Pero respiraba, absorbía el aire vivificante del mar. Mis dos compañeros se embriagaban a mi lado con sus frescas ráfagas.

Ned Land no hablaba; sólo abría unas mandíbulas capaces de ahuyentar a un tiburón.

No tardamos en recuperar las fuerzas, y al mirar a mi alrededor vi que estábamos solos en la plataforma. Los marinos del *Nautilus* se conformaban con el aire que circulaba en el interior, sin acudir a deleitarse en plena atmósfera.

El recuerdo de nuestra reclusión en los hielos se fue borrando poco a poco de mi mente. Sólo pensaba, al igual que mis compañeros, en el porvenir. El capitán Nemo no había vuelto a aparecer por el salón, ni por la plataforma. Era evidente que íbamos hacia el Norte por la ruta del Atlántico.

El 1 de abril, cuando el *Nautilus* ascendió a la superficie, pocos minutos antes del mediodía, divisamos una costa en dirección Oeste. Era la Tierra de Fuego, a la que dieron este nombre sus primeros descubridores al ver las numerosas humaredas que se elevaban de las chozas indígenas.

Nuevamente sumergido el submarino, se aproximó a la costa, que bordeó a muy pocas millas de distancia. El *Nautilus* pasó con extraordinaria velocidad sobre fértiles y lujuriantes fondos. Al anochecer se acercó a las islas

Malvinas, cuyas escarpadas cimas reconocí al día siguiente. Las redes del submarino recogieron magníficos ejemplares de algas y, sobre todo, de ciertos fucos, cuyas raíces aparecían llenas de almejas, que son las mejores de la Tierra.

Cuando las últimas cumbres de las Malvinas desaparecieron tras el horizonte, el *Nautilus* se sumergió a unos veinte metros y siguió bordeando la costa americana. El capitán Nemo seguía sin mostrarse.

Hasta el 3 de abril no abandonamos los parajes de la Patagonia, bien bajo las aguas, bien en la superficie. El submarino traspuso el amplio estuario formado por la desembocadura del Plata, llegando el día 4 a la altura del Uruguay, pero a cincuenta millas mar adentro. Habíamos recorrido dieciséis mil leguas desde los mares del Japón.

Navegábamos a una velocidad vertiginosa. Ningún pez, ninguna ave, por rápidos que fuesen, hubieran podido seguirnos, y las curiosidades naturales de aquellos mares no pude observarlos.

Esta velocidad se mantuvo varios días, y en la tarde del 9 de abril dimos vista a la punta más oriental de América del Sur, formada por el cabo San Roque. Pero el *Nautilus* se internó de nuevo, yendo a buscar a mayor profundidad un valle submarino entre ese cabo y Sierra Leona, en la costa africana. Dicho valle se bifurca a la altura de las Antillas, finalizando al norte en una enorme depresión de nueve mil metros. En este sitio, en el corte geológico del océano hasta las pequeñas Antillas, hay un acantilado de seis kilómetros, cortado a pico, y a la altura de las islas de Cabo Verde hay una muralla de igual importancia, que viene así a cerrar todo el continente sumergido de la Atlántida. El fondo de la inmensa cañada aparece accidentado por varias montañas, que dan un aspecto pintoresco a aquellos parajes submarinos.

El 11 de abril estábamos a la entrada del río Amazonas, ancho estuario, cuyo caudal es tan intenso que desala el mar en un radio de varias leguas.

Habíamos cortado el Ecuador. Veinte millas al Oeste quedaban las Guayanas, territorio francés en el que hubiéramos hallado fácil acogida; pero la brisa era dura y las encrespadas olas no eran las idóneas para ser afrontadas por una frágil canoa. El canadiense debió de comprenderlo así, porque no hizo la menor alusión a la fuga.

El día 16 pasamos a unas treinta millas de la Martinica y de la Guadalupe, cuyos elevados picos distinguí por unos momentos.

En los seis meses que llevábamos prisioneros en el *Nautilus*, habíamos realizado un crucero de diecisiete mil leguas y, como decía Ned Land, no se vislumbraba el fin de todo aquello.

Ned Land me instó a que preguntara categóricamente al capitán qué proyectos tenía acerca de nosotros o si pensaba retenernos para siempre a bordo del submarino.

Yo consideraba completamente inútil dar semejante paso. Era del parecer que no debíamos esperar nada del capitán, sino más bien confiar en nosotros mismos. Por otra parte, desde hacía algún tiempo el capitán se mostraba retraído, preocupado y muy poco comunicativo. Parecía esquivar mi presencia y ya no nos veíamos tan a menudo como antes. Durante los primeros meses, el capitán Nemo se complacía en explicarme las maravillas submarinas; ahora, me abandonaba a mis estudios, sin aparecer por el salón.

¿Qué cambio se había operado en él y por qué causa? Yo no tenía nada que reprocharme. ¿Le cansaría nuestra presencia a bordo? De cualquier modo, no le consideraba capaz de darnos la libertad.

El 20 de abril, la tierra que teníamos más cercana era el archipiélago de las Lucayas. Elevábanse allí enormes acantilados submarinos, murallones verticales de pedruscos superpuestos, dispuestos en anchas hileras, entre las que se abrían oscuras cuevas, cuyo fondo no llegaban a iluminar los rayos del reflector eléctrico.

Las rocas estaban tapizadas de altas hierbas: laminarias formidables, fucos laberínticos, un verdadero espaldar de hidrófitos dignos de un mundo de titanes.

Serían aproximadamente las once cuando el canadiense me mostró un formidable hormiguero entre la exuberante vegetación.

Ned corrió hacia la claraboya.

— ¡Qué animal tan espantoso! —exclamó.

Miré y no pude reprimir un movimiento de repulsión. Ante mis ojos se agitaba un horrible monstruo.

Era un calamar de colosales dimensiones. Alcanzaría unos ocho metros de longitud, y marchaba reculando con extraordinaria velocidad, en dirección a la nave, clavando en él sus grandes ojos de tintes verdosos. Sus ocho brazos, o mejor dicho, pies, implantados en la cabeza, que han dado a estos animales el calificativo de cefalópodos, tenían un desarrollo doble del de su cuerpo y se retorcían como la cabellera de las Furias. Podía ver distintamente las doscientas cincuenta ventosas distribuidas en la cara interior de los tentáculos, en forma de cápsulas esféricas. A veces, dichas ventosas se aplicaban al cristal de la claraboya, produciendo el vacío. La boca del animal, una especie de apéndice córneo parecido al pico de un loro, se abría y cerraba verticalmente. Su lengua, que también era córnea y armada de varias hileras de agudos dientes, salía vibrando de aquel verdadero alicate. Su cuerpo fusiforme y abultado en su parte media formaba una masa carnosa, cuyo peso sería de veinte a veinticinco mil kilos. Su inconstante color variaba con extraordinaria rapidez, según el estado de irritación del molusco, pasando alternativamente del gris claro al pardo rojizo.

Me sobrepuse al horror que me inspiraba su aspecto y, tomando un lápiz, empecé a diseñarlo.

Poco después aparecieron otros pulpos a la banda de estribor. Pude contar hasta siete. Todos escoltaban al *Nautilus*, oyendo rechinar sus picos sobre el blindaje.

De pronto, el submarino se detuvo. Un fuerte topetazo hizo trepidar su armazón.

—¿Hemos encallado? —exclamé.

El *Nautilus* flotaba, pero no andaba. Las aletas de la hélice no batían las ondas. Transcurrido un minuto, entró en el salón el capitán Nemo, seguido de su segundo.

Sin dirigirnos la palabra, acaso sin vernos, se dirigió a la claraboya, contempló a los pulpos y cambió unas frases con su subordinado.

Este salió. A los pocos instantes se cerró la claraboya y se iluminó el techo.

Yo me adelanté hacia el capitán.

—Curiosa colección de pulpos —le dije, con la desenvoltura con que hubiera podido hacerlo un aficionado ante la vitrina de un acuario.

—En efecto, profesor —me contestó—, y vamos a combatirlos cuerpo a cuerpo. La hélice se ha detenido y supongo que la interrupción obedece a que alguno de esos calamares ha introducido su apéndice córneo entre las palas. Nos remontaremos a la superficie y exterminaremos toda esa chusma.

—Difícil será la empresa.

—Realmente, es dificultosa. Las balas eléctricas son inofensivas contra esas carnes fofas, en las que no encuentran resistencia bastante para explotar; pero las atacaremos a hachazos.

—Y a arponazos, capitán —dijo el canadiense—, si no rehúsa usted mi ayuda.

—Aceptada, señor Land.

Siguiendo al capitán, nos dirigimos a la escalera central.

Allí esperaban ya diez marineros, armados con hachas de abordaje. Consejo y yo tomamos dos hachas, y Ned un arpón.

El *Nautilus* se encontraba ya en la superficie. Un marinero, situado al final de la escalera, destornilló las bisagras de la escotilla. Pero apenas se hubieron retirado las tuercas, la trampilla se levantó con inusitada violencia, atraída sin duda por las ventosas del tentáculo de un pulpo.

Al instante, uno de los brazos se deslizó por la abertura como una serpiente, agitándose otros veinte sobre ella. El capitán cortó de un hachazo el colosal tentáculo, que rodó por los escalones retorciéndose.

Nos abalanzamos en tropel para salir a la plataforma cuando otros dos brazos, cortando el aire, alcanzaron al marinero que precedía al capitán Nemo, arrebatándolo con terrible fuerza.

El capitán lanzó una maldición y se lanzó afuera, siguiéndole todos apresuradamente.

¡Qué escena! El desventurado, asido por el tentáculo y adherido a sus ventosas, era balanceado a merced de la gigantesca trompa. Jadeaba, se ahogaba, profería débiles gritos en demanda de socorro.

El capitán Nemo se precipitó sobre el pulpo, descargó un nuevo hachazo y le cercenó otro tentáculo. El segundo de a bordo luchaba furiosamente contra otros monstruos, que rastreaban por los costados del submarino. Todos se batían con denuedo. Ned Land, Consejo y yo hundíamos nuestras armas en aquellas masas carnosas. La atmósfera estaba impregnada de un fuerte olor a almizcle.

Por un instante creí que el desdichado enlazado por el pulpo sería rescatado de la enorme succión. De los ocho brazos del animal se habían cortado siete; el único que le restaba se cimbreaba en el aire, blandiendo a su víctima como una pluma. Pero en el instante en que el capitán y su segundo arremetían de nuevo contra él, proyectó un chorro de líquido negruzco, segregado de una bolsa que tenía en el abdomen, y nos cegó. Cuando la tinta se disipó, el calamar había desaparecido y con él la desventurada víctima.

¡Con qué furia acometimos entonces a los monstruos! Diez o doce de ellos habían invadido la plataforma y los costados del buque. Todos rodábamos en revuelta confusión entre aquellos restos palpitantes, que se agitaban sobre la plataforma entre oleadas de sangre y de tinta. Parecía que los viscosos tentáculos renacían como las cabezas de la hidra. A cada golpe, el arpón del canadiense se hundía en los verdosos ojos de los calamares, abriendo profundas cavidades; pero mi temerario amigo fue súbitamente derribado por los tentáculos de un pulpo, cuyo latigazo no tuvo tiempo de rehuir.

El formidable pico del calamar se abrió sobre Ned Land, amenazando partirlo en dos. Corrí en su socorro, pero el capitán Nemo se me adelantó. Su hacha desapareció entre las dos enormes mandíbulas, y el canadiense, milagrosamente salvado, se levantó y sepultó todo el arpón hasta el triple corazón del pulpo.

—¡Tenía pendiente esta deuda! —gritó el capitán Nemo al canadiense.

Ned se inclinó, sin contestar.

El combate había durado unos quince minutos. Los monstruos, vencidos, mutilados, heridos de muerte, abandonaron el campo y desaparecieron bajo las aguas.

El capitán Nemo, teñido en sangre, inmóvil junto al reflector, contempló el mar, que acababa de tragarse a uno de sus compañeros, y sus ojos se anegaron en lágrimas.

XXIX

LAS ULTIMAS PALABRAS DEL CAPITAN NEMO

El 8 de mayo nos hallábamos aún frente al cabo Hatteras, a la altura de Carolina del Norte. La vigilancia parecía desterrada del todo a bordo. Las costas habitadas ofrecían fáciles refugios por todas partes. El mar se veía sin cesar surcado por los numerosos vapores que efectuaban el servicio entre Nueva York o Boston y el golfo de México, y recorrido día y noche por las goletas que realizan el cabotaje entre los diversos puntos de la costa americana. Había la esperanza de ser recogidos. Por consiguiente, era una ocasión favorable para huir, a pesar de las treinta millas que nos separaban de la costa de la Unión.

Pero una enojosa circunstancia contrariaba en absoluto los proyectos del canadiense. El tiempo era malísimo. Nos aproximábamos a esos parajes en que las tempestades son frecuentes; a la patria de las trombas y de los ciclones, engendrados precisamente por la corriente del Gulf Stream. Arrostrar un mar generalmente embravecido en una frágil canoa era ir a una muerte segura. El propio Ned Land así lo entendía.

—Cuando pienso que dentro de unos días el *Nautilus* se encontrará a la altura de Nueva Escocia; que allí, hasta Terranova, se abre una extensa bahía en la que desemboca el San Lorenzo; que el San Lorenzo es mi río, el río de Quebec, la ciudad en que nací... Cuando pienso esto la sangre se me sube a la cabeza y se me ponen los pelos de punta.

Comprendía su sufrimiento, porque a mí también me

iba invadiendo la nostalgia. Habían transcurrido casi siete meses sin tener comunicación con el mundo.

Cuando iba a entrar en mi cámara, percibí ruido en la del capitán. Llamé y no obtuve respuesta. Insistí, levanté el picaporte y entré.

El capitán estaba inclinado sobre su mesa de trabajo y no me había oído. Resuelto a no salir de allí sin interrogarle, avancé hacia él. Entonces alzó bruscamente la cabeza, frunció las cejas y me dijo, en tono bastante agrio:

—¡Usted aquí! ¿Qué desea?

—Quisiera hablarle, capitán.

—Ahora no puedo atenderle, señor Aronnax.

El recibimiento no era muy alentador; pero yo estaba dispuesto a todo.

—Capitán —le repliqué con frialdad—, he de hablarle de un asunto que no admite demora.

Entonces él, sin hacer caso de mis palabras, me mostró un manuscrito abierto sobre la mesa. Estaba redactado en varios idiomas y contenía el resumen de los estudios que había efectuado, relativos al mar. Se hallaba firmado de su puño y letra y completado con la historia de su vida. Su intención era encerrarlo en un aparato insumergible, que arrojaría al mar el último superviviente del submarino.

—Capitán —le dije—, apruebo la idea que ha inspirado su determinación, porque sería insensato dejar perder el fruto de sus experiencias. Pero el medio que quiere adoptar lo encuentro primitivo. ¿No podría usted mismo o alguno de sus hombres...?

—Jamás —replicó el capitán, interrumpiéndome vivamente.

—En ese caso, mis compañeros y yo estamos dispuestos a conservar en depósito ese manuscrito, y si usted nos devuelve la libertad...

—¡La libertad! —exclamó el capitán, levantándose.

—Sí, señor. La libertad. Ese es, precisamente, el tema que deseaba tratar con usted. Hace siete meses que permanecemos a bordo, y he de saber si su propósito es el retenernos aquí para siempre.

—Ya le dije que quien entra en el *Nautilus* no lo abandona jamás.

—Eso es imponernos la esclavitud.

—Llámelo como quiera.

Mis razonamientos fueron inútiles. No conseguí nada.

Lo comuniqué a mis compañeros, y Ned dijo:

—Ahora ya sabemos que no hay nada que esperar de ese hombre. El *Nautilus* se aproxima a Long Island. Huiremos, haga el tiempo que haga.

Pero el cielo anunciaba cada vez más una tempestad próxima.

La tormenta estalló el 18 de mayo, precisamente cuando el *Nautilus* navegaba a la altura de Long Island, a pocas millas de los pasos de Nueva York.

El temporal nos hizo derivar hacia el Este, desvaneciendo toda esperanza de intentar la evasión en los fondeaderos de Nueva York o de San Lorenzo. El propio Ned Land, desalentado, se aisló como el capitán Nemo; Consejo y yo no nos separábamos ni un momento.

El 25 de mayo nos encontrábamos en el extremo meridional del banco de Terranova. Este banco está formado por aluviones marinos, una enorme acumulación de detritus orgánicos acarreados, ya del Ecuador por la corriente del Gulf Stream, ya por la contracorriente de agua fría que discurre a lo largo de América. También se apilan allí las moles erráticas arrastradas por el deshielo, viniendo a formar todo ello un vasto osario de peces, moluscos y zoófitos que mueren a millares.

El 30 de mayo el *Nautilus* pasó a la vista de Land's End, entre la punta más saliente de Inglaterra y las Sorlingas, que dejó a estribor.

Durante todo el día 31, el submarino describió en el mar una serie de círculos; parecía buscar un lugar que le costaba trabajo hallar. Al mediodía, el capitán Nemo de-

terminó la posición. Le advertí más sombrío que nunca
Al día siguiente se repitió la maniobra. Era evidente que se
trataba de encontrar un punto determinado. Como la víspera, el capitán Nemo tomó por sí mismo la altura del Sol.
A unas ocho millas apareció un vapor de gran porte en la
línea del horizonte. No arbolaba en su tope ningún pabellón y no pude reconocer su nacionalidad.

El capitán, minutos antes de pasar el Sol por el meridiano, tomó el sextante y observó con atención. Terminada la operación, pronunció estas dos únicas palabras:

—Aquí es.

Y descendió por la escotilla. ¿Había visto el navío
que parecía modificar su dirección y acercarse a nosotros?
No sabría decirlo.

El *Nautilus* comenzó a sumergirse verticalmente.

Pocos minutos después se detenía a ochocientos
treinta y tres metros de profundiad, descansando en el
suelo.

Entonces se apagó el alumbrado del salón y se abrieron las claraboyas, apareciendo el mar profusamente iluminado por los rayos del reflector en una extensión de
media milla.

A estribor, al fondo, noté una gran prominencia que
atrajo mi atención. Hubiera podido tomarse por un mon-
tón de sepultadas ruinas. Examinando con más atención
aquella masa, me pareció reconocer las abultadas formas
de un navío desmantelado que debió de hundirse de proa.

De pronto oí junto a mí la voz del capitán Nemo, que
decía con mesurado acento:

—En otra época ese navío se llamaba *El Marsellés*.
Montaba setenta y cuatro cañones y fue botado al agua en
mil setecientos sesenta y dos. El trece de agosto de mil setecientos setenta y ocho se batió contra el *Preston*. En mil
setecientos noventa y cuatro la República francesa le cambió el nombre. El once y el doce de pradial del mismo año,
se encontró con la flota inglesa Ese día, después de un

heroico combate, desarbolado por completo, con la tercera parte de su tripulación fuera de combate, prefirió sepultarse con sus trescientos cincuenta y seis marineros a rendirse y, clavando su pabellón a proa, desapareció bajo las olas al grito de " ¡Viva la República!"

— ¡El *Vengador*! —exclamé.

— ¡Sí! ¡El *Vengador*! —murmuró el capitán Nemo, cruzándose de brazos.

Las sombras del *Vengador* fueron desvaneciéndose, cuando un ligero balanceo me indicó que ascendíamos.

Al llegar a la superficie, se oyó un fuerte estampido. Subí rápidamente a la plataforma.

El barco que habíamos divisado la víspera se hallaba cerca. Nos separaban unas seis millas.

—¿Qué ha sido esto? —pregunté.

—Un cañonazo —contestó Ned Land.

—¿Qué clase de barco es ése, Ned?

—Por su aparejo y por su arboladura —respondió el canadiense— apostaría cualquier cosa a que es un buque de guerra. ¡Ojalá venga en nuestra ayuda y eche a pique a este maldito *Nautilus*!

Durante quince minutos seguimos observando al buque, que se dirigía hacia nosotros. Era inadmisible, sin embargo, que hubiera reconocido al *Nautilus* a tal distancia.

—Señor Aronnax —me dijo Ned—, como pase a una milla me arrojo al mar.

De pronto, surgió un vapor blanquecino a proa del buque de guerra; unos segundos después, las aguas, agitadas por la caída de un cuerpo pesado, salpicaron la popa del *Nautilus*. Instantes después llegaba la detonación a mis oídos.

—Por lo visto no nos toman por náufragos asidos a una tabla —comentó Ned Land.

Estas palabras fueron una revelación para mí. Seguramente se sabía ya a qué atenerse respecto a la existencia del pretendido monstruo. Lo más probable es que en su abordaje con la *Abraham-Lincoln*, cuando el canadiense lo arponeó, el comandante Farragut se diese cuenta de que el narval era un buque submarino, más peligroso que los más formidables cetáceos.

Entretanto, las balas llovían a nuestro alrededor. Algunas rasando la superficie líquida, iban a perderse de rebote a considerable distancia; pero ninguna alcanzó al navío.

El capitán Nemo subió en aquel momento a la plataforma y con una orden tajante nos invitó a descender al interior del submarino.

El canadiense, Consejo y yo tuvimos que obedecer. Unos quince marineros del *Nautilus* rodearon al capitán, mirando con saña iracunda al navío que avanzaba hacia ellos. Parecía que animaba a todos un mismo espíritu de venganza.

Volví a mi cámara. El capitán y su segundo quedaron en la plataforma. La hélice comenzó a funcionar y el *Nautilus* se alejó velozmente, poniéndose fuera del alcance de los proyectiles de su enemigo. Pero la persecución continuó y el capitán Nemo se limitó a mantener la distancia.

Hacia las cuatro de la tarde, no pudiendo contener la impaciencia y la inquietud que me devoraban, intenté intervenir; pero apenas interpelé al capitán, éste me mandó callar.

— ¡Soy el derecho! ¡Soy la justicia! —me dijo—. ¡Soy el oprimido ante el opresor! ¡Por él ha perecido cuanto he querido, cuanto he venerado: la patria, esposa, hijos, mi padre y mi madre! ¡Ahora tengo ante mí cuanto odio! ¡No intente usted que me apiade de ellos!

Dirigí una mirada postrera al buque de guerra y fui a reunirme con mis amigos.

— ¡Hay que huir! —dije.

—Eso mismo opino yo —replicó fríamente Ned Land.

Por fin amaneció el terrible 2 de junio. A las cinco la corredera me indicó que el *Nautilus* moderaba su velocidad. Los proyectiles surcaban las aguas muy cerca

—Amigos míos —dije a mis compañeros—, ha llegado el momento. ¡Que Dios nos proteja!

Cruzamos la biblioteca. En el momento de empujar la puerta que daba a la escalera central oí cerrarse de golpe la escotilla superior. Un barboteo bien conocido me indicó que el agua penetraba en los depósitos. En unos pocos instantes, el *Nautilus* se sumergió unos cuantos metros.

Era demasiado tarde. El submarino no se proponía embestir la impenetrable coraza del buque de guerra, sino acometerle por debajo de la línea de flotación, donde la plancha metálica no protege la armadura.

Al poco rato lancé una exclamación. Habíamos chocado, aunque ligeramente. Noté la fuerza penetrante del espolón de acero, percibí rechinamientos y crujidos. El *Nautilus*, arrastrado por el ímpetu de sus potentes máquinas, pasó como una lanzadera a través de la masa del acorazado.

No pude contenerme. Desatinado, salí de mi cámara y corrí al salón.

Allí estaba el capitán Nemo, sombrío, silencioso, implacable, mirando por la claraboya de babor.

Una masa enorme se hundía bajo las aguas, y para no perder un solo detalle de su agonía, el *Nautilus* descendía al abismo con ella.

El acorazado se sumergió lentamente. De repente se produjo una explosión. El aire comprimido hizo volar la cubierta del navío como si se hubieran incendiado los pañoles. La expansión de las aguas fue tan grande que el submarino derivó.

Entonces el maltrecho acorazado se sumergió más rápidamente, viéndose primeramente las cofas cargadas de víctimas; después, las barras, cediendo al peso de los racimos de tripulantes; finalmente, el tope del palo mayor. La oscura mole acabó por desaparecer... Me volví hacia el capitán Nemo. El terrible justiciero seguía contemplando su obra. Cuando todo hubo terminado, se dirigió a la puerta de su cámara, la abrió y entró. Yo le había seguido y pude ver en el testero del fondo, debajo de los retratos de sus héroes, los de una mujer, joven aún, y los de dos niños. El capitán Nemo clavó en ellos sus pupilas durante un rato, les tendió los brazos, se arrodilló y prorrumpió en sollozos..

Desde aquel momento el capitán Nemo me inspiró una profunda aversión. Por mucho que fuera el daño que le hubieran causado, no le daba derecho a proceder como lo había hecho.

Poco después, comprobando las cartas de navegación, pude darme cuenta de que estábamos cruzando frente a la entrada del Canal de la Mancha, marchando a toda máquina hacia los mares boreales.

No volvimos a ver en varios días al capitán Nemo ni a ninguno de sus marineros. El *Nautilus* navegaba constantemente sumergido, y cuando se elevaba a la superficie, para renovar el aire, las escotillas se abrían y cerraban de modo automático.

En las primeras horas de una mañana, cuya fecha no puedo determinar, vino a despertarme Ned Land, quien, inclinándose hacia mí, me dijo en voz baja:

—¡Prepárese para huir!

—¿Cuándo? —pregunté, incorporándome vivamente.

—Esta noche. Parece que no hay vigilancia en la nave. ¿Está usted dispuesto?

—Sí. Pero, ¿dónde estamos?

—A la vista de tierra firme, a veinte millas al Este.

Cuando el canadiense me dejó, subí a la plataforma, en la cual me fue imposible sostenerme contra los embates de la marejada. El aspecto del cielo era amenazador; pero, ya que la tierra estaba allí, tras aquellas brumas, era preciso huir. No había instante que perder.

A las seis y media Ned se reunió conmigo para decirme:

—Ya no nos veremos hasta nuestra partida. A las diez

aún no habrá salido la Luna y aprovecharemos la oscuridad. Vaya usted a la canoa. Allí estaremos Consejo y yo.

Después de vestirme un sólido traje de mar, reuní mis apuntes y los guardé cuidadosamente. Apliqué el oído a la puerta de la cámara del capitán y percibí ruido de pasos. El capitán se hallaba levantado. A cada momento temía verle aparecer y preguntarme por qué intentaba escapar.

Eran las nueve y media. ¡Todavía media hora de espera! ¡Media hora de pesadilla, que podía volverme loco!

Poco antes de las diez, abrí la puerta sigilosamente, aunque me pareció que al girar sobre sus goznes producía un verdadero estruendo.

Llegué a la puerta angular del salón que abrí con sumo cuidado. Estaba completamente a oscuras. Los acordes de un órgano resonaban débilmente. El capitán Nemo no podía verme, aunque creo que tampoco se hubiese fijado en mí a plena luz, tan absorto se encontraba en su éxtasis.

Ya me disponía a franquear la puerta de la biblioteca, cuando un suspiro del capitán Nemo me inmovilizó. Al instante, se adelantó hacia mí, aunque sin verme, cruzado de brazos, silencioso como un fantasma, y entre fuertes sollozos que levantaban su pecho, murmuró:

— ¡Dios omnipotente! ¡Basta! ¡Basta!

¿Era la confesión del remordimiento, escapada involuntariamente de la conciencia de aquel hombre?

Sin aliento, me precipité en la biblioteca, subí la escalera central y siguiendo el pasadizo superior, llegué a la canoa y penetrando en ella por la abertura que había dado paso a Consejo y a Ned Land, exclamé:

— ¡Vámonos cuanto antes!

—Al momento —respondió el canadiense.

De pronto nos alertaron unos rumores sordos lanzados en el interior y mezclaoos con palabras cruzadas con vivacidad. ¿Qué ocurría? ¿Se habrían dado cuenta de nuestra huida? Ned Land deslizó un cuchillo en mi mano.

—Sí —murmuré—, sabremos morir.

El canadiense interrumpió su tarea. Pero una palabra, repetida muchas veces, me reveló la causa de aquella agitación a bordo. No era por nosotros.

— ¡Maelstrom! ¡Maelstrom! —gritaban los marineros.

¡El Maelstrom! ¿Nos hallábamos, pues, en aquellos peligrosos parajes de la costa noruega?

Sabido es que en el momento de la pleamar, las aguas comprimidas entre las islas Feroe y Laffoden adquieren una violencia irresistible, formando un torbellino del que nunca pudo salvarse navío alguno. De todos los puntos del horizonte afluyen olas gigantescas, originando ese espantoso abismo llamado con justicia "ombligo del mundo", cuya potencia de atracción se extiende por una distancia de quince kilómetros.

Allí fue donde el capitán Nemo había aventurado su nave... ¿involuntaria o voluntariamente? El *Nautilus* describía una espiral, cuyos radios disminuían progresivamente, arrastrando consigo la canoa, todavía sujeta a su costado. Yo lo advertía, comenzando a experimentar ese mareo que sucede a un movimiento giratorio que se va prolongando demasiado.

¡Qué situación! El zarandeo era terrible. El *Nautilus* se defendía bravamente. De vez en cuando se levantaba verticalmente, haciéndonos dar de bruces.

—Hay que afianzarse bien y apretar las tuercas —dijo Ned Land—. Si no nos movemos, tal vez podamos salvarnos.

Casi antes de terminar esta frase, resonó un nuevo y formidable crujido. Los pernos cedieron y la canoa, arrastrada de su alvéolo, fue lanzada en medio del torbellino, como una piedra por una honda.

Mi cabeza fue a chocar contra un pilar de hierro y la violencia del golpe me hizo perder el conocimiento.

CONCLUSION

Así terminó el viaje submarino de veinte mil leguas. Ignoro qué ocurrió aquella noche, cómo escapó la canoa del formidable remolino del Maelstrom, y cómo Ned, Consejo y yo salimos del abismo. Al recobrar el sentido me hallé acostado en la cabaña de un pescador de la isla Loffoden. Mis dos compañeros, sanos y salvos, estaban a mi lado. Nos abrazamos efusivamente.

Allí, rodeado de aquellas buenas gentes, en espera del paso del vapor que efectuaba el servicio bimensual del cabo Norte, repasé el relato de mis aventuras. Es exacto. Es la narración fiel de la inverosímil expedición realizada en un elemento inaccesible al hombre, pero cuyo itinerario lo allanará algún día el progreso.

¿Se me creerá? No lo sé. Poco importa, después de todo. Por de pronto, puedo afirmar mi derecho a hablar de esos mares bajo cuyas aguas he franqueado veinte mil leguas en menos de diez meses.

¿Qué habrá sido del *Nautilus*? ¿Habrá resistido los embates del Maelstrom? ¿Vivirá el capitán Nemo? ¿Proseguirá bajo el océano sus espantosas represalias o se detendrá en la última? ¿Traerán las olas algún día el manuscrito que contiene la historia completa de su vida? ¿Sabré, al fin, el nombre del misterioso personaje?

Así lo espero, como espero igualmente que su potente artefacto haya vencido al mar en el más terrible de sus abismos, y que el *Nautilus* haya sobrevivido allí donde tantos navíos han sucumbido. Si así fuera, si el capitán Nemo

sigue habitando el océano, su patria adoptiva, ¡quiera Dios
que se haya aplacado el odio en aquel corazón indómito y
feroz! ¡Que la contemplación de tantas maravillas extinga
sus ansias de venganza! Si su destino es extraño, también es
sublime. ¿Acaso no lo he comprobado yo mismo? En resumen, a la pregunta formulada hace seis mil años por el
Eclesiastés: "¿Quién ha logrado nunca sondear las profundidades del abismo?", pueden ahora con derecho contestar
dos hombres entre todos: el capitán Nemo y yo.